B. Klappert, Israel und die Kirche

Theologische Existenz heute
Nr. 207

Herausgegeben von Trutz Rendtorff und Karl Gerhard Steck

BERTOLD KLAPPERT

Israel und die Kirche

Erwägungen zur Israellehre Karl Barths

CHR. KAISER VERLAG MÜNCHEN

IN MEMORIAM HANS JOACHIM IWAND (1899–1960)

CIP-Kurztitelaufnahme der Deutschen Bibliothek

Klappert, Bertold
Israel und die Kirche: Erwägungen zur Israellehre Karl Barths;
in memoriam Hans Joachim Iwand (1899–1960) /
Bertold Klappert. –
München: Kaiser, 1980.
(Theologische Existenz heute; Nr. 207)

ISBN 3-459-01274-9

Gesamtherstellung: Peter Sommer, Feuchtwangen.
Umschlag: Christa Manner. – Printed in Germany.

Inhalt

Vorwort

Karl Barths Israellehre kann nur dann sachlich gewürdigt und kritisch befragt werden, wenn man sich der geschichtlichen Wirklichkeit und Notwendigkeit offen und ehrlich stellt, indem man zunächst die in der Geschichte des Verhältnisses der Kirche zur Synagoge geschichtswirksam gewordenen, brutal exekutierten wie unter unsäglichen Opfern erlittenen «Modelle» der Verhältnisbestimmung von Israel und Kirche darlegt und bewußt macht.

Deshalb habe ich zunächst systematische Modelle erarbeitet, in denen die Beseitigung der Besonderheit Israels in der Geschichte der Kirche und ihrer Theologie bis in die Gegenwart besonders wirksam geworden ist. Diese Modelle behaupteten und behaupten bis heute: Die Kirche ersetzt Israel (Substitutionsmodell), die Kirche integriert Israel (Integrationsmodell), Israel ist lediglich Vorstufe und Vorabbildung der Kirche (Typologiemodell), Israel ist die exemplarische Negativ-Folie der Kirche (Illustrationsmodell) und Israel ist als Fall von ... dem allen Menschen geltenden Allgemeinen ein- und unterzuordnen (Subsumtionsmodell).

Die zunächst in Wien, dann in Walberberg bei Brühl und zuletzt in Tel Aviv gastierende Ausstellung über «das Judentum im Mittelalter» und die dort gezeigten Tafeln über das Verhältnis der Kirche zur Synagoge haben jedem drastisch vor Augen führen können, wie eng der Zusammenhang zwischen theologischer Disqualifizierung und physischer Auslöschung des jüdischen Volkes tatsächlich ist: der Teufel mit der ausgeprägt jüdischen Physiognomie dargestellt an der Kathedrale von Bourges; die Darstellung der Kirche und Synagoge unter dem Kreuz: die Kirche als Zeuge des Lebens und der Auferweckung, *die Synagoge als Darstellung des Gerichtes und des Todes*; die Kirche mit der Krone, dem Kreuz erhobenen Hauptes zugewandt, die Synagoge mit entblößtem Oberkörper, das Haupt mit den geschlossenen Augen gesenkt und dem Gekreuzigten den Rücken zuwendend; die Kirche unter dem Kreuz in prächtigem byzantinischem Gewand, die Fahne des Sieges in der Rechten, die Synagoge durch einen von oben kommenden Engel vom Kreuz abgedrängt, wobei ihr die Krone vom Haupt fällt und ihr zerbrochener Fahnenschaft am Boden liegt; der vom rechten Ende des Kreuzes ausgehende Arm die auf dem heiligen Tier reitende Ekklesia krönend, während der Arm am anderen Ende des Kreuzesbalkens die auf einem Ziegenbock sitzende Synagoge mit dem Schwert durchbohrt. Last not least eine Darstellung aus dem Erfurter Dom, derzufolge die Ekklesia auf ihrem Streitroß mit Schild und eingelegter Lanze auf die Synagoge zusprengt, die ihrerseits ohne Waffen auf einer Sau heranreitet. (Katalog für die Ausstellung «Judentum im Mittelalter» 1978, 268ff.).

Diesen in der Geschichte der Kirche und Theologie bis heute unvermindert wirksamen Negativmodellen habe ich erst wiederzugewinnende und langsam zu erlernende positive Modelle der Zuordnung von Israel und Kirche entgegengestellt, die die biblische und heilsgeschichtliche Zusammengehörigkeit von Israel und Kirche unter dem einen Bogen des für Israel ungekündigten Bundes betonen, Israel und die Kirche im Licht eines bruderschaftlichen Dialogs und in der Solidarität der messianischen Hoffnung sehen (Komplementärmodell) und auf den vergessenen, aber fundamentalen biblischen Sachverhalt der Hinzuberufung der Völkerwelt zur Erwählungs- und Hoffnungsgeschichte Israels abheben (Partizipationsmodell).

Auf dem Hintergrund dieser negativen wie positiven Modelle der Verhältnisbestimmung von Israel und Kirche und aufgrund der Analyse der exegetischen und systematischen Voraussetzungen der Israel-Exegese Barths von Röm 9–11 versuche ich den Nachweis zu führen, daß selbst K. Barths epochemachende Israellehre noch stark dem traditionellen Integrationsmodell verhaftet bleibt, demzufolge es die Bestimmung der Synagoge ist, in die Kirche aufzugehen. Dabei möchte ich zugleich zeigen, daß sich Barths ursprünglicher christologischer Ansatz nach 1948 darin immer entschiedener durchsetzt, daß Barth mit der in Jesus Christus erfolgten Hinzuberufung der Völkerwelt in die Verheißungsgeschichte Israels systematisch ernstmacht und daß nun die Synagoge und das Judentum nicht mehr – wie noch 1942 – primär als Zeugen des Gerichtes, sondern immer entschiedener als Zeugen der Prophetie Jesu Christi und der messianischen Hoffnung gekennzeichnet werden, bis Barth 1966 entschieden für eine Aufnahme des Judentums in die Ökumene plädiert.

Barths Retractatio und Selbstkorrektur seiner problematischen These von Israel als dem Zeugen des Gerichtes geht schließlich, wie ich zu zeigen versuche, eine Selbstkorrektur im Hinblick auf die theologische Bedeutung der Landverheißung Israels parallel, insofern Barth nach 1948 allmählich zu der Einsicht gelangt, daß nicht nur die ebenso rätselhafte wie erstaunliche Fortdauer der Existenz des jüdischen Volkes durch die Jahrtausende (so Barth schon in KD III/2), sondern auch die Heimkehr des jüdischen Volkes in das Land der Verheißung und die Errichtung und Existenz des Staates Israel Zeichen der Treue Gottes gegenüber seinem erwählten Volk sind. In dieser Retractatio und Selbstkorrektur Barths tritt der Weg der Israellehre Barths und das theologische Ringen Barths mit der Israelfrage deutlich ans Licht.

Die mich im Zusammenhang mit der Israellehre ständig begleitende Frage lautet: Hätte Barth seine theologisch-systematischen Sätze über die Synagoge als Zeugen des Gerichtes Gottes auch in der geschichtlichen Situation nach Auschwitz noch aufstellen können oder gar theologisch legitim überhaupt aufstellen dürfen? Und welcher theologische Rang kommt den geschichtlichen Ereignissen von Auschwitz einerseits und der erneuten Heimkehr Israels in das Land der Verheißung andererseits für eine an der Geschichte Jesu Christi als des Messias Israels orientierte christliche Theologie des Judentums zu?

Wuppertal, den 22. 11. 1979

Bertold Klappert

Israel und die Kirche

Erwägungen zur Israellehre Karl Barths*

«Der Antisemitismus muß das Alte Testament selbst aus dem Herzen unseres Volkes herausreißen. Er muß damit aber, ohne es zu ahnen, die Wurzel alles dessen zerstören, was wir Bildung und Kultur, Humanität und Ethos nennen. So weit ich sehe, gibt es heute nur ein großes theologisches Werk, welches die Konsequenzen aus dieser unserer Vergangenheit wirklich gezogen hat: Karl Barths Kirchliche Dogmatik in ihrer ständigen Frage nach Israel» (H. J. Iwand)

Karl Barths Theologie ist ohne Barths Israel-Exegese und Israel-Lehre nicht denkbar und nicht verstehbar. Und nicht nur das Zentrum, sondern entscheidend auch die Konkretheit der Theologie K. Barths steht in Barths Israellehre zur Diskussion und auf dem Spiel.

Ich erläutere diesen Tatbestand vorgreifend an einem Brief Barths aus dem Jahre 1934 an den Rabbiner Emil Bernhard-Cohen, in dem sofort die wesentlichen Elemente der Israellehre Barths präsent sind: die Sendung des Volkes Israel, die bleibende theologische Bedeutung und Aufgabe des Judentums post Christum natum, die politischen und geschichtlichen Rätsel des Jahres 1934, die letzten Geheimnisse des göttlichen Bundes und der Gnade, die Berufung der Synagoge wie der Kirche zu einem ganz neuen Hören des Wortes Gottes:

«Sie werden es ja von mir nicht anders erwarten als daß mich der Gedanke an das Wesen, den Weg und die Sendung Ihres Volkes unter den vielen Rätseln unserer Zeit mit am Tiefsten beschäftigt. Wir sind auch einig darin, daß das Schreckliche, das Ihrem Volk heute in Deutschland widerfährt – ich kann als Christ nur mit Scham und Entsetzen daran denken – darum so schrecklich ist, weil dabei wissend–unwissend an letzte Geheimnisse der göttlichen Gnade gerührt wird und weil damit die Synagoge ebenso wie die Kirche zu einem ganz neuen Hören des göttlichen Wortes und so in eine ganz neue verantwortliche Entscheidung gerufen sind.»

Im folgenden möchte ich zunächst typische Modelle möglicher Verhältnisbestimmung von Israel und Kirche vorstellen. Es handelt sich dabei um keine von mir konstruierten, sondern in der Geschichte des Verhältnisses zwischen Israel und der Kirche, der Kirche und der Synagoge stattgehabten und geschichtswirksam gewordenen Modelle, in denen das Verhältnis von Kirche und Synagoge gelebt und noch mehr erlitten worden ist.

* Überarbeitetes Referat der 7. Karl Barth-Tagung vom 12.–15. Juli 1976 auf der Reformierten Heimstätte Leuenberg, Hölstein, Baselland

Will man Barths Exegese von Römer 9–11 und seine in KD II/2, § 34 vorgetragene Israellehre in ihrer Bedeutung verstehen, so bedarf es der Vorverständigung über die verschiedenen Möglichkeiten der Zuordnung von Kirche und Synagoge in der Vergangenheit und Gegenwart.

Einer ersten Gruppe lassen sich folgende Modelle zuordnen:

a) das Substitutionsmodell: Die Kirche als das neue Gottesvolk ersetzt das Israel der Erwählung Gottes.

b) das Integrationsmodell: Die Kirche als das neue Gottesvolk ersetzt das Israel der Erwählung so, daß sie das erwählte Restisrael in sich integriert. Die Kirche ist das Volk Gottes aus Restisrael und den Heiden.

c) das Typologiemodell: Israel ist der Typos der Kirche und des durch sie endgültig repräsentierten Heils. Israel ist die typologische Vorabbildung der Kirche.

d) das Illustrationsmodell: Israel wird als die exemplarische Negativfolie menschlicher Existenz verstanden, deren die Kirche als einer von ihr überwundenen oder immer wieder zu überwindenden Stufe bzw. Existenzweise bedarf.

e) das Subsumtionsmodell: Hier geht es einerseits um die Destruktion des Besonderen der Erwählung und des Bundes Israels und andererseits um die Subsumierung des Besonderen Israels unter das allen Menschen geltende Allgemeine. Dieses Subsumtionsmodell soll am Beispiel der Römerbriefexegese von E. Käsemann vorgestellt werden.

Einer zweiten Gruppe lassen sich folgende Modelle zuordnen:

a) das Komplementärmodell: Israel und die Kirche werden hier als die zwei sich ergänzenden, infragestellenden bzw. konkurrierenden, koexistierenden bzw. proexistierenden Größen des einen Gottesvolkes verstanden. Dieses Modell ist unter dem Stichwort «Dialog» zwischen Juden und Christen, zwischen Kirche und Synagoge praktiziert worden.

b) das Repräsentationsmodell: Hier wird das Verhältnis der Kirche zu Israel bzw. der Synagoge als das der repräsentierenden Stellvertretung verstanden, insofern die Heiden vorläufig an die Stelle des den Messias noch nicht erkennenden Israel treten, darin aber die Stelle für Israel solidarisch offenhalten. Die Heiden sind Platzhalter für Israel. Dieses Modell ist in der Situation nach Auschwitz für eine Umkehrung offen: Israel leidet stellvertretend für die abseitsstehende Kirche. Israel ist Platzhalter für die Kirche. Dieses Modell schließt das Komplementärmodell nicht aus, sondern ein.

c) das christologische Dependenzmodell: Die Ekklesia ist nicht nur in der Vergangenheit, sondern auch in der Zukunft abhängig (deshalb Dependenz) von der in Jesus Christus bestätigten Erwählung Israels und der verheißenen Erfüllung dieser Erwählung gegenüber ganz Israel. Das christologische Partizipationsmodell sagt die bleibende Hinzuberufung (deshalb Partizipation) der Völkerwelt zur Erwählungsgeschichte Israels aus. Das Leitbild beider Modellvarianten ist die eschatologische Völkerwallfahrt der Heiden zum Zion, die durch den heilsgeschichtlichen Umweg der Völkermission nicht aufgehoben, sondern der Sache nach bestätigt wird. Die Geschichte des Handelns Gottes mit den Völkern gehört in den Rahmen des Erwählungshandelns Gottes mit Israel und der Erfüllung der Erwählung an Israel im Christus Jesus.

Aus der kurzen Beschreibung und vorläufigen Skizzierung der beiden Gruppen und der ihnen zuzuordnenden Modelle mag bereits deutlich geworden sein, (1) daß die erste Gruppe auf die Eliminierung und Eskamotierung der Besonderheit Israels und seiner Erwählung und daß die zweite Gruppe auf die Wahrung und Wahrnehmung der bleibenden Besonderheit der Erwählung Israels hinauslaufen.

Mit dieser Feststellung sind aber noch keine Kriterien der Kritik gewonnen. Denn (2) das Verhältnis der beiden Modellgruppen verkompliziert sich nun dadurch, daß die der ersten Gruppe zuzuordnenden Modelle insbesondere das Kreuz und den durch das Kreuz markierten Bruch akzentuieren, während die der zweiten Gruppe zuzuordnenden Modelle das jenseits bzw. in diesem Bruch Kontinuierende und Bestätigte der Erwählung Israels und der Erfüllung der Erwählung Israels zum zentralen Inhalt haben.

(3) Es mag weiter schon hier angedeutet werden, daß nur dasjenige Denken Anspruch auf theologische Sachgemäßheit erheben kann, das sowohl den durch das Kreuz repräsentierten Bruch und also das Nacheinander von Kreuz und Auferweckung als auch die gerade in diesem Bruch und Nacheinander bewahrte und bewährte Treue Jahwes zu Israel gleichermaßen auszusagen vermag.

(4) Gerade dies wird aber auch das Kriterium zur Beurteilung der Israellehre K. Barths sein, deren Kennzeichen u.a. darin zu sehen ist, daß es die Alternative dieser beiden Gruppen von der Geschichte Jesu Christi und des in Kreuz und Auferweckung erfüllten Bundes her vermeidet und dadurch freilich in Aporien gerät, die in den weiteren Abschnitten dargestellt werden sollen.

1. Modelle der Verhältnisbestimmung von Israel und Kirche, die auf die Eliminierung der Besonderheit Israels hinauslaufen

a) Das Substitutionsmodell

Als markanten und im Hinblick auf den Nationalsozialismus geschichtswirksam gewordenen Verfechter des Substitutionsmodells möchte ich beispielhaft den Berliner Hofprediger Adolf Stoecker (1835–1909) nennen, der seit 1874 Hofprediger in Berlin war, 1878 die christlich-soziale Arbeiterpartei gründete, nach der politischen Niederlage seiner Partei und nach der Streichung des Wortes «Arbeiter» aus dem Namen der Partei 1881 diese als «Christlich-soziale Partei» weiterführte, die als evangelische Mittelstandsorganisation im Kielwasser der Ultrakonservativen schwamm und im liberalen, modernen Judentum den Schrittmacher der Zersetzung des Volkslebens betrachtete (K. Kupisch). Dabei verband sich der Kampf gegen das moderne Judentum bei Stoecker mit dem Kampf gegen Marxismus und Sozialdemokratie. Der christliche Antisemitismus Stoeckers, der dem modernen liberalen Judentum, das sich in der Welt des öffentlichen Lebens zu behaupten suche und durch seine Art des Auftretens eine Gefahr für das deutsche Volk darstelle, den Kampf ansagte, hatte folgende theologischen Prämissen:

1. Die Geschichte Israels ante Christum natum:
Die Geschichte des jüdischen Volkes vor Christus ist durch die Tatsache der Erwählung charakterisiert, an der Gott auch im Gegensatz zur Rebellion und Schuld des Volkes Israel festhält, obwohl die Geschichte des jüdischen Volkes eine Kette von Verleugnung und Auflehnung ist. Die Geschichtsfolge a) Erwählung Israels, b) Auflehnung Israels, c) der immer wiederholte Versuch Gottes, durch Gericht und Versöhnung den Widerstand des Volkes in Treue zu ihm zu überwinden, ist Kennzeichen der Geschichte des jüdischen Volkes vor Christus.

2. Die Geschichte des Judentums post Christum crucifixum:
Die Geschichte des jüdischen Volkes nach der Kreuzigung Christi sieht Stoecker so: Das Volk Israel hat nach der Kreuzigung nicht mehr als das Volk der Erwählung zu gelten, denn «mit der Verwerfung Christi hat das jüdische Volk seinen Beruf abgetreten an die christliche Kirche» (410). Das Rätsel des modernen Judentums, «warum dieses Volk auch in den aufgelösten Splittern durch die Jahrtausende weiterbesteht und warum es zu einer Plage für die Menschheit und zu einem Stachel für die

Völker wird», beantwortet Stoecker so: «Es ist ein göttliches Verhängnis über diesem Volk, daß es unstät umherirren soll in der Welt und leiden bis ans Ende der Tage. Als die Juden Christum kreuzigten, kreuzigten sie sich selbst, ihre Offenbarung wie ihre Geschichte.» Seitdem ist dieses Volk verurteilt umherzuirren, «bis es sich bekehrt hat» (420). Es steht unter dem Fluch Gottes, den es selbst auf sich herabgerufen hat. Man könnte auf die Geschichte der Juden nach der Kreuzigung das Wort anwenden, das Gott dem Kain sagt, als er seinen Bruder Abel erschlagen hat: «Unstät und flüchtig sollst du sein auf Erden»! Und wie Kain leben mußte unter dem Fluch, so muß auch dieses Volk leben unter dem Gericht Gottes nach seinem Willen. Stoecker beruft sich dabei auf Matth. 21,43: «Das Reich Gottes wird von euch genommen und einem anderen Volk gegeben werden» (A. Stoecker, Christlich-Sozial. Reden und Aufsätze 1890², 410).

Während in der zweitausendjährigen israelitischen Geschichte vor Christus immer wieder das Erbarmen Gottes aufleuchtet, das die Halsstarrigkeit des Volkes durch Züchtigungen und unendliche Geduld überwinden will, so steht hinter der fast zweitausendjährigen Geschichte des Judentums nach Christus der Zorn Gottes als der dunkle Hintergrund, von dem sich alle Einzelheiten abheben.

3. Die Zukunft Israels als die Geschichte einzelner getaufter Juden:

Die Zukunft Israels ist Stoecker zufolge nur noch als die Zukunft einzelner getaufter, bekehrter, gerechtfertigter Juden zu verstehen: Der Rest des Volkes wird am Ende der Tage das Christentum annehmen, eine besondere Rolle als Volk wird es aber nicht mehr spielen, denn das Reich Gottes wird dem Volk Israel genommen und den Völkern gegeben werden.

Festzuhalten ist lediglich an der Möglichkeit, daß einzelne Juden eine «Wiedergeburt» erleben. Denn «die Wirksamkeit der Taufe bei Juden überhaupt zu leugnen, ist ein Widerspruch gegen das Christentum, ein Zweifel an seiner Universalität» (Bruno Bendokat, «Adolf Stoeckers Stellung zur Judenfrage», Witten, 1937, 60). Ich fasse Stoeckers Position noch kurz zusammen:

1. Die Geschichte Israels ante Christum natum ist die Geschichte der Erwählung Israels als Volk trotz seiner Schuld.

2. Die Geschichte Israels post Christum crucifixum ist die Geschichte der Verwerfung und Verfluchung Israels als Volk, ist die Geschichte des Zornes Gottes aufgrund der «Kreuzigung Jesu durch die Juden» über Israel, das seine besondere Berufung an die christliche Kirche abgetreten hat. Die Kirche ersetzt Israel, Israel wird durch die Kirche substituiert.

3. Die Zukunft Israels ist nicht die Zukunft des Volkes, sondern die Zukunft einzelner getaufter und gerechtfertigter Juden im Raum der heidenchristlichen Kirche.

Stoecker steht in der Wirkungsgeschichte M. Luthers und seiner Unterscheidung von Gesetz und Evangelium:

Hatte Luther in seiner Frühzeit den christlichen Antisemitismus scharf verurteilt (1523 «Daß Jesus Christus ein gebürtiger Jude sei»), so hat er mit zunehmendem Alter seine Stellung in dieser Frage geändert.

Luther war zunächst davon überzeugt, daß mit der neuen Entdekkung des Evangeliums auch für die Juden die in der Schrift verheißene Zeit angebrochen sei, die Ablehnung des wiederentdeckten Evangeliums durch die Juden verstand Luther dann aber als Dokumentation der Verstockung und Verworfenheit der Juden. Von daher folgerte Luther ein dreifaches: 1. In der Ablehnung des wiederentdeckten Evangeliums dokumentieren die Juden, daß sie verworfen sind und nicht mehr zu den Erwählten gehören. 2. Israels Zeit ist mit der Ablehnung des Evangeliums abgelaufen, die Kirche hat als Nachfolgeorganisation Israel entschädigungslos beerbt. 3. Die Ablehnung des Evangeliums und die darin dokumentierte Verwerfung Israels hat zur Konsequenz, daß man «die Juden getrost dem Bereich unterwerfen (kann), in dem Gott mit Gewalt und seinem Zorn (mit seiner lex coercens) regiert. Gewiß auch im Bereich des Zornes ... regiert Gott. Aber er regiert dort mit Gewalt, die dann nahezu alle Mittel gegen Gottlose rechtfertigt» (M. Stöhr in: Der ungekündigte Bund, 1963², 112). Das Anzünden von Synagogen, Enteignung, Deportation und Zwangsarbeit sind Bestandteile der Ratschläge Luthers an die Obrigkeit.

Daraus folgen theologische Grundsätze, die bis in die Gegenwart hinein in verhängnisvoller Weise für die Israellehre wirksam geworden sind und ohne deren Kenntnis auch K. Barths Israellehre nicht verstanden und gewürdigt werden kann:

1. Israel steht aufgrund der Verwerfung Jesu Christi im Kreuz bzw. aufgrund der Ablehnung des wiederentdeckten Evangeliums unter dem Fluch, Gericht und Zorn Gottes.

2. Die Geschichte des Volkes Israel ist nur noch als eine Geschichte post Christum crucifixum, nicht mehr als eine Geschichte post Christum resuscitatum zu verstehen.

3. Mit der Ablehnung des Evangeliums steht Israel unter dem Gesetz (Vergeltungsgesetz), im Bereich des Zornes und der Vergeltung, d. h. die Israellehre ist ohne das Kreuz und ohne den Zusammenhang mit dem Gesetz nicht zu verstehen.

4. Die Kirche ist die heilsgeschichtliche Nachfolgeorganisation Israels, insofern die Kirche zwar in Israel gründet, Israel aber in die Kirche mündet, wie von P. Althaus formuliert worden ist (Die letzten Dinge, 1957⁷, 313).

5. Die Zukunft Israels ist post Christum crucifixum nur noch als die Zukunft einzelner Gerechtfertigter und Getaufter aus Israel im Raum der heidenchristlichen Kirche vorstellbar. Israel als Volk kann keine Zukunft mehr zuerkannt werden.

Im Sinne dieses Substitutionsmodells hat Althaus mit ausdrücklicher Berufung auf den späten Luther formuliert: «Israel hat seine besondere und einzigartige Stelle im Heilsplan Gottes; die Kirche ist erbaut auf dem Grunde der Geschichte Gottes mit Israel. Die Kirche gründet in Israel als dem erwählten Gottesvolke, aber Israel mündet auch in die Kirche. Die Kirche ist jetzt das Gottesvolk, das ‹Israel Gottes› (Gal. 6,16)». Und das hat für Althaus folgende Konsequenz: «Israel als das geschichtliche Volk ist seit Christus, in dem sein heilsgeschichtlicher Beruf sich erfüllt hat, keine theologische, ‹heilsgeschichtliche› Größe mehr. Israel hat in der Kirche und für die Kirche keine Sonderstellung und keinen besonderen ‹Heilsberuf› mehr» (313).

Auf den diesem ekklesiologischen Substitutionsmodell zugrundeliegenden christologischen Begründungssatz von Althaus wird noch zurückzukommen sein: Der «Christus (aller Menschen bzw. der Menschheit) ist ... des Messias Ende» (309).

b) Das Integrationsmodell

Das Integrationsmodell ist eine Variante des Ersatz- oder Substitutionsmodells, insofern dieses durch das Element des Restes, von dem Paulus in Röm. 11,1–6 spricht, ergänzt und präzisiert wird: Die Kirche als das neue Gottesvolk ersetzt Israel insofern, als sie das erwählte Rest-Israel sich integriert, so daß von der Kirche als der Ekklesia aus Juden und Heiden gesprochen wird. Die Kirche wird hier als das Volk Gottes, als die Ekklesia aus Rest-Israel und den Heiden mit Berufung auf Röm. 9,24 verstanden.

1. In diesem Modell wird positiv gesehen, daß der Begriff der «Völkerkirche», wie er dem Substitutionsmodell meistens unausgesprochen zugrunde liegt, eine Abstraktion ist, der die für Paulus unentbehrliche Komponente des Juden in der Ekklesia unterschlägt.

2. Es gibt eine eschatologische Variante dieses Integrationsmodells, die sogar mit dem Substitutionsmodell zusammengehen kann, wie der folgende Satz von P. Althaus zeigt. Seine Doppelthese (die Kirche gründet in Israel, Israel mündet in die Kirche) kann er so ergänzen: «Dabei bleibt durchaus Raum für die Hoffnung einer größeren Wendung ‹ganz Israels› zu Christus. Paulus kündet ... das ‹Geheimnis› kommenden Eingehens von ganz Israel in die Kirche (Röm. 11,25)» (314). Daß Röm. 11,25 freilich nicht von dem kommenden Eingehen von ganz Israel in die Kirche, sondern umgekehrt von dem Eingehen der eschatologischen Vollzahl der Heiden in die in Jesus Christus bestätigte und begründete Erwählung Israels spricht («bis die Vollzahl der Heiden eingegangen ist»), ist Althaus nicht aufgefallen.

Der Hinweis auf die eschatologische Variante des Integrationsmodells ist insofern wichtig, als sie uns bei der Exegese Barths von Röm. 11,25, derzufolge Barth von dem Aufgehen der Synagoge in der Kirche spricht, wiederbegegnen wird.

3. G. Eichholz hat in seiner (unveröffentlichten) Exegese von Röm. 9–11 auf folgenden exegetischen Sachverhalt aufmerksam gemacht: «Das Stichwort Ekklesia selbst kommt in Röm. 9–11 nicht vor, wird hier nicht zugelassen» (11). Eichholz sieht in dem Ausfall dieses immer wieder in die Exegese von Röm. 9–11 eingetragenen Stichwortes einen Hinweis auf den kirchenkritischen und nicht israelkritischen Akzent von Röm. 9–11: «Ein ‹Kirchenbewußtsein› kommt hier nicht zu Wort. Es wird eher attackiert» (ebd.).

Das Integrationsmodell, auch in seiner eschatologischen Variante, sieht den Integrationspunkt im Verhältnis von Israel und Kirche in der Kirche und kann von der Zukunft Israels nur in den Kategorien des Eingehens von «ganz Israel» in die Kirche oder des Aufgehens der Synagoge in der Kirche reden. Protologisch oder eschatologisch, herkunfts- wie zukunftsgeschichtlich – so lautet die gefährliche These – kann Israels Weg nur in der Kirche enden. Kurz: es ist die Bestimmung der Synagoge, in der Kirche aufzugehen.

c) Das Typologiemodell

Das typologische Modell ist sowohl für das Substitutions- als auch für das Integrationsmodell offen. Das Typologie-Modell ist das Modell der «Vorausdarstellung, die auf eine überlegene Entsprechung hinweist» (ThW VIII 1969, 253). Israel, seine Geschichte und Institutionen sind diesem Modell zufolge der Typos der Kirche und des durch die Kirche endgültig repräsentierten Heils.

1. So hat F. W. Marquardt in seiner wichtigen Darstellung der Israellehre K. Barths mit Recht auf die Nähe des typologischen Modells zum Substitutionsmodell hingewiesen. Im Hinblick auf die christologische Fassung der Drei-Ämter-Lehre K. Barths heißt es bei Marquardt: «Das Problem dieser christologischen Formgebung der Israelsendung ist nun freilich sofort deutlich: Es handelt sich ausschließlich um vorchristliche und historisch ‹gescheiterte› Mächte, Gestalten und Wahrheiten, als deren Erfüllung dann Jesus Christus angesehen werden kann. Es fragt sich aber ..., ob nicht die Typologisierung dieser Einzelheiten innerhalb der Geschichte Israels nun doch als Ersatz (!) statt als Zeichen für das Volk Israel ... fungieren. Die historische Ablösung so wichtiger Einzelheiten innerhalb der Geschichte Israels, wie sie Propheten, Priester und Könige sind, kann nur zu leicht als die historische Ablösung des Volkes Israel selbst verstanden werden» (246). Denn indem das Bild, die überlegene Entsprechung, der Antitypos erscheint, ist das Vor-Bild, die Vorabbildung, die Vorausdarstellung nicht mehr nötig, werden sie durch den eschatologischen Typos ersetzt.

2. Dieses Gefälle zur Substitution bzw. Integration Israels scheint freilich weniger bei der christologischen Typologie im Sinne Barths – wie Marquardt ja auch sieht (246) –, sondern eher bei der ekklesiologischen Typologie zu bestehen:

So heißt es in dem Konzilstext des Vatikanum II «Nostra aetate»: Die Kirche bekennt, «daß in dem Auszug des erwählten Volkes aus dem Lande der Knechtschaft das Heil der Kirche geheimnisvoll vorgebildet ist» (Erklärung über das Verhältnis der Kirche zu den nichtchristlichen Religionen, Konzilstexte deutsch H 12, Trier 1966, XX, 3f.).

Ist die Kirche das neue Volk Gottes («Gewiß ist die Kirche das neue Volk Gottes» sagt Nostra aetate) und ist im Exodus das Heil der Kirche typologisch vorgebildet, dann – so hat J. Moltmann richtig gesehen – «scheint Israel doch nur als Vorstufe der Kirche anerkannt zu werden, wenngleich es als eine Vorstufe in allen folgenden Stufen aufbewahrt bleibt» (Moltmann, Kirche in der Kraft des Geistes 1975, 168).

Das Verständnis Israels als Typos der Kirche und des durch sie endgültig repräsentierten Heils hat in «Nostra aetate» eine Affinität zum Integrationsmodell, insofern hier die Kirche als das neue Volk Gottes bzw. als das «neue Geschlecht» den Bezugspunkt für die Typologie abgibt.

Folgende Problemkreise sind im Hinblick auf das typologische Modell namhaft zu machen:

a) Ist im Exodus Israels nicht nur das Heil der Kirche, sondern das eschatologische Reich der Freiheit und Gerechtigkeit typologisch vorabgebildet, dann hat die typologische Bedeutung Israels und seiner Geschichte ihren Bezugspunkt nicht in der Kirche, sondern im kommenden messianischen Reich Gottes als dem Reich der Freiheit und Gerechtigkeit. Deshalb hat die Exodusgeschichte Israels – bezogen auf die Befreiungsgeschichte Gottes – ein die ekklesiologische Typologie überschreitendes Moment, was ein indirekter Hinweis auf die Bedeutung Israels neben und im Gegenüber zu der Kirche ist. In diesem Sinne wird das Alte Testament von Barth als Buch der Verheißung, «als das Buch der ihm (dem kommenden Messias) Entgegensehenden» verstanden (KD IV, 1, 356). In dieser Hinsicht ist die Prophetie der Geschichte Israels von Barth als eine Präfiguration nicht der Kirche, sondern der Prophetie Jesu Christi akzentuiert, ist also nach Barth «mit einem solchen Typos, einer solchen Präfiguration und also mit einer realen Vorwegnahme (nicht der Kirche, sondern) der Prophetie Jesu Christi ... allen Ernstes zu rechnen» (KD IV, 3, 57).

b) Dieser Sachverhalt weist zugleich darauf hin, daß das typologische Modell seine Funktion nur im Rahmen der die Israellehre und die beiden Testamente entscheidend bestimmenden Kategorien von Verheißung und Erfüllung haben kann (W. Zimmerli), so daß das typologische Modell seine begrenzte Funktion nur im Rahmen und in der Klammer des noch zu entfaltenden christologisch-eschatologischen Partizipationsmodells erhalten kann.

c) Indem aber der Typos der Geschichte Israels in der Kirche als dem neuen Gottesvolk (Nostra aetate) bzw. in der Ekklesia aus Juden und

Heiden nicht aufgeht, sondern seine Erfüllung und damit seine Entsprechung erst in dem kommenden messianischen Reich findet, bleibt nicht nur die Eigenaussage des Alten Testaments, sondern bleibt das Judentum bzw. die Synagoge – als der messianische Anwalt der Eigenaussage des Alten Testaments – das bleibende Gegenüber der Kirche, das seinerseits die kritische Frage an die Kirche stellt, inwiefern diese des messianischen Exodusbewegung Israels wirklich entspricht.

Die ekklesiologischen Typologien stehen in der Klammer der universalen Typologien. Die Frage ist also nicht nur, inwiefern im Exodus Israels das Heil der Kirche vorabgebildet ist (so in Nostra aetate), sondern inwiefern die Kirche die Entsprechung zur Exodusbewegung Israels auf das messianische Reich und die messianische Hoffnung hin darstellt oder nicht darstellt.

d) Das Illustrationsmodell

Das Illustrationsmodell ist die Negativ-Gestalt der bisher geschilderten Modelle. In diesem Illustrationsmodell wird Israel als die Negativ-Folie der Kirche verstanden. Zur Illustration des Gemeinten sei an den Satz von Rabbiner R. R. Geis erinnert, dem zufolge in A. von Harnacks «Wesen des Christentums» «die einzige traurige Existenzberechtigung des Judentums darin lag, der düstere Hintergrund für die christliche Lichtfülle zu sein» (Gottes Minorität 1971, 152). Im Sinne dieses Modells «schließen christliche Theologen mit solchen Sätzen, die von Israels Dilemma handeln, als ob dies nicht auch das Dilemma der Kirche wäre. Sie verraten damit, daß sie, ohne sich dessen bewußt zu werden, für Israel das Gericht reservieren und für die Kirche die Gnade» (H. Gollwitzer, in: Antijudaismus im Neuen Testament? Hg W. Eckert, N. P. Levinson und M. Stöhr 1967, 192).

Dieses Modell ist wohl wirkungsgeschichtlich als das bedeutendste und verheerendste und – nach dem Substitutionsmodell – am meisten den Antisemitismus fördernde zu bezeichnen. Israel wird hier im Rahmen der Religionskritik als Prototyp von negativ qualifizierter Religion verstanden. Was Marquardt anhand der Römerbriefe Barths gezeigt hat (54ff.), läßt sich bis in die Römerbriefexegese der Gegenwart nachweisen. So formuliert E. Käsemann in seiner Römerbriefexegese, «daß Paulus Israels auf der eigenen Geschichte begründete Ansprüche genauso zerschlagen muß wie die des einzelnen frommen Menschen. Daß er es jedoch ausdrücklich tut, beweist, daß Israel für ihn exemplarische Bedeutung hat: In und mit Israel wird der verborgene Jude in uns allen getroffen, der Mensch, der ... Recht und Forderungen Gott gegenüber geltend macht und insofern der Illusion statt Gott dient» (Käsemann EVuB II, 196).

E. Käsemann steht hier in der Tradition seines Lehrers R. Bultmann, für den die besondere Geschichte Israels zur Illustration und zum Beispiel für das Scheitern der menschlichen Existenz im allgemeinen unter dem Gesetz wird. Die alttestamentliche Geschichte als die Geschichte des Scheiterns wird zur Negativfolie für die aus dem Evangelium empfangene Eigentlichkeit menschlichen Existierens: «Wie der Glaube den Gesetzesweg als überwunden ständig in sich enthält, um wirklich Rechtfertigungsglaube zu sein, so enthält er ebenfalls auch jeden Versuch der Identifikation weltlichen und eschatologischen Geschehens ständig als überwunden in sich, um eschatologische Haltung zu sein» (GuV II, 186).

Israel wird so ausschließlich von der abstrakten Antithese von «Gesetz und Evangelium» her und als exemplarische Negativfolie menschlicher, uneigentlicher Existenz definiert, deren der Glaube bzw. die Kirche als einer von ihr überwundenen bzw. in der Predigt des Gesetzes immer neu zu überwindenden Stufe bedürfen.

Der Substitution und Integration Israels in die Kirche geht so negativ die Destruktion und Fixierung Israels auf die Illustration menschlicher Sünde zur Seite. Fr. W. Marquardt (261–265) hat am Beispiel der Exegese von G. Klein auf die in diesem Zusammenhang erfolgende ungeheuerliche antijüdische Vernichtungsterminologie hingewiesen, und J. Moltmann hat theologisch richtig geurteilt: Die Erwählungs- und »Verheißungsgeschichte tritt (hier) hinter der Antithese von ‹Gesetz und Evangelium› zurück» (Kirche 161).

Drei Fragen sollen hier vorläufig gestellt werden:

a) Inwiefern handelt es sich in dem Aufweis der exemplarischen Negativ-Bedeutung Israels um die Einwirkung des christlichen Antisemitismus oder um Exegese von Röm. 9–11? G. Eichholz kann im Israelkapitel seines Paulusbuches, in dem er die Prärogative Israels, das «zuerst dem Juden und dann dem Menschen aus der Völkerwelt» so überzeugend herausgestellt hat, zugleich sagen: «In Röm. 2 scheint (!) Paulus das proton ... völlig zu zerpflücken und den Juden vielmehr, wenn privilegiert, als privilegiert zum Gericht zu verstehen» (85).

b) Inwiefern ist die eigentliche Zielaussage des Paulus nicht die besondere Privilegierung des Juden zum Gericht, sondern dessen Egalisierung mit der Völkerwelt hinsichtlich der Sünden- und Schuldgeschichte des Menschen (Röm. 3,22f.; vgl. Röm. 5,12ff.; 10,12), die aber die Privilegierung Israels hinsichtlich der Erwählung durch Gott in keiner Weise aufhebt?

c) Inwiefern gehört Barths Lehre von Israel als dem Zeugen und der Darstellung des Gerichtes noch zur Wirkungsgeschichte des Antijudaismus, sofern die Juden die dunkle Folie für das christliche Selbst- bzw. das Grundbewußtsein der Gemeinde bilden, und worin und wie läßt sich Barths Bestimmung der Synagoge und ihrer Geschichte post Christum crucifixum von dieser Tradition gegebenenfalls abgrenzen?

Steht also auch Barth an dieser Stelle in der Tradition der Antithese von Gesetz und Evangelium bzw. der Tradition der Zuordnung Israels zur abstrakten lex accusans oder meint er, daß es nur angesichts der Erfüllung und also im Rahmen der Bestätigung seiner Erwählung zum exemplarischen Rebellentum Israels kommen konnte und gekommen ist? «Nicht bei den Heiden, nicht bei Herodes und Pilatus, wohl aber bei den Juden, bei den Pharisäern und Schriftgelehrten» konnte angesichts der Präsenz des Reiches in dem Messias Israels, angesichts der Präsenz Gottes und der Erfüllung der Verheißungen, «wo das Ja dazu nicht möglich war, nur das Nein, und zwar ein Nein radikaler Ablehnung, striktester Abwehr, des entschlossensten Gegenangriffs» erfolgen (IV/2, 289). Denn «indem es in Jesu Wort und Werk nicht um diskutable Einzelheiten, ... sondern um die große Revolution, ums Ganze, um Leben und Tod ging, indem gerade Israel Jesu Fragestellung ... nur zu gut verstand ..., konnte es nicht anders sein, als daß Jesus exemplarisch (!) gerade von Israels Abwehr und Gegenangriff betroffen werden ... mußte» (ebd.). «Sie waren nicht schlechter, sie waren in vielen Beziehungen notorisch besser als ihre heidnischen Zeitgenossen» (ebd.). Vielmehr: «Der Mensch gegen Gott stand auf dem Spiel. Sicher auch in Rom und Hellas! Aber nur in Jerusalem konnte das erkannt werden. Und in Jerusalem ... mußte das erkannt, mußte also ... die Sache des Menschen, aber diese gegen Gott ... verkündigt ... werden» (290).

e) Das Subsumtionsmodell

Der Privilegierung der Juden zur Illustration für das Sein des Menschen unter dem Gericht, für die Existenz des frommen Menschen, für das Scheitern der menschlichen Existenz unter dem Gesetz überhaupt, entspricht in christlicher Theologie nun überraschenderweise nicht positiv die Privilegierung Israels in der Rechtfertigung bzw. in der Beziehung zum Evangelium oder zum Bund, sondern die Subsumierung der besonderen Erwählung Israels unter das Allgemeine der allen Menschen und so auch Israel (bzw. den einzelnen aus Israel) geltenden Rechtfertigung des Gottlosen.

Dies soll an E. Käsemanns Römerbriefexegese («An die Römer» 1973) verdeutlicht werden, dessen Analyse von Röm. 9–11 beispielhaft für das hier gemeinte Subsumtionsmodell steht: In diesem Modell geht es einmal um die Destruktion und Eliminierung des Besonderen der Erwählung Israels und des Bundes Gottes mit Israel und andererseits als Folge dieser Destruktion um die Subsumierung und Einordnung des Besonderen Israels unter das allen Menschen geltende Allgemeine.

Demgegenüber macht es das Besondere der Position Barths aus, daß er das Exemplarische der Existenz Israels bzw. der Synagoge post Christum resuscitatum mit dem Besonderen der unaufhebbaren und bleibenden Erwählung Israels und der Erfüllung des Bundes und der Verheißungen in Jesus Christus verbindet.

Konstitutiv für Käsemanns Rechtfertigungsverständnis ist bekanntlich, «daß die Rechtfertigungslehre nicht auf den einzelnen Menschen und die gegenwärtige Situation beschränkt werden darf» (so in Abgrenzung von dem existential-anthropologischen Verständnis R. Bultmanns).

Rechtfertigung steht vielmehr «in einem kosmischen Rahmen» (mit Berufung auf 1,28–3,20; 5,12ff.; 8,18ff.). «So kann und muß nun offensichtlich nach paulinischer Meinung das Problem Israels aus diesem Zusammenhang heraus angefaßt werden. In der Rechtfertigung geht es eben ... primär ... um Gottes Herrschaft über die Welt und deshalb konkret über den Einzelnen» (254). Und aus diesem primären Verständnis der Rechtfertigung als Gottes Herrschaft über die Welt und seine Schöpfung und von daher über den Einzelnen folgert Käsemann weiter: «Gottes Recht auf die Welt ist notwendig auch (!) Gottes Recht auf Israel» (ebd.). M.a.W.: die paulinische Lehre von der Erwählung und bleibenden Verheißung an Israel «ist eine Variation seiner Lehre von der Rechtfertigung der Gottlosen» (ebd.).

Das Allgemeine der schöpfungs-eschatologisch verstandenen Rechtfertigung als Recht des Schöpfers auf die Welt, wie es sich in der Rechtfertigung des Gottlosen über dem Einzelnen anthropologisch zuspitzt, spezifiziert sich Käsemann zufolge gegenüber Israel als Erwählung und Verheißung.

Das primäre Verständnis der Rechtfertigung im universalen und schöpfungs-eschatologischen (aber eben nicht bundestheologischen) Horizont impliziert für Käsemann das Zerbrechen der besonderen Beziehung Jahwes zu Israel: «Wenn Paulus das Heil im gekreuzigten Christus erblickt und den Heiden Rechtfertigung verkündigt, abstrahiert er nicht vom Gedanken des Bundes. Er zerbricht (!) ihn vielmehr, sofern er seine ausschließliche Bindung an Israel bestreitet, und begreift ihn neu, sofern er seine gültige Wahrheit aus der Schöpfung (!) ableitet» (274). Kreuzestheologie und Schöpfungseschatologie zerbrechen das Besondere der Erwählung und des Bundes Israels. Paulus versteht deshalb – so argumentiert Käsemann – die Rechtfertigung im umfassenden Kontext der «Allmacht des Schöpfers ..., weil er mit dem gekreuzigten Christus die iustificatio impiorum, die resurrectio mortuorum und die creatio ex nihilo, also Gnade für die Bedürftigen ... proklamiert» (ebd.).

Wie Kreuzestheologie, Schöpfungseschatologie und in ihrem Rahmen die iustificatio impii für Käsemann eng zusammengehören, so heben sie umgekehrt das Besondere der Erwählung Israels auf. Käsemann gelangt schließlich zu dem Spitzensatz: «Der durch seine Bundespartnerschaft gebundene (= sich bindende) Gott kann nicht der Gott des Kreuzes und der Gottlosen sein» (274).

Die Konsequenzen dieses Subsumtionsmodells im Hinblick auf das Verhältnis von Kirche und Synagoge sind wie die der bisherigen Modelle ausschließlich negativer Art: Wird «das Heil ... in der christlichen Gemeinde gefunden», so ist nach Paulus das Alte Testament «Kronzeuge für die Ablösung der Synagoge durch die sich aus Juden und Heiden sammelnde» Kirche (280). Folglich spricht auch Käsemann von der «Destruktion und Neugründung des Gottesvolkes» (285). Und die Nähe des Subsumtionsmodells zum ekklesiologischen Integrationsmodell wird an folgendem Satz deutlich: «Wie es Kirche nicht ohne Israel gibt, so bleibt Israel allein Gottesvolk, wenn es Kirche wird» (297). Käsemann vertritt also die These, daß die iustificatio impiorum als creatio ex nihilo und resurrectio mortuorum nicht nur die Destruktion des Besonderen der Erwählung Israels, sondern auch die Subsumierung Israels unter das Allgemeine der Rechtfertigung des Gottlosen zur Folge hat.

«Ehe Paulus das Heil auch für Israel verkündet, (entfaltet er) ... die Prämisse dieser Verkündigung in der Rechtfertigungslehre. Israel wird nicht anders gerettet als die Heiden» (290). So ist auch in dieser Exegese der Christus des Messias Ende: «Christus, als Kosmokrator über die Völker herrschend und von ihnen bekannt, wird den Juden ... auch (!) Gegenstand ihrer Hoffnung werden» (294). Wird Rechtfertigung in schöpfungs-eschatologischer Perspektive verstanden, so kann es in diesem Rahmen konsequenterweise nur zu einer «Anwendung der Rechtfertigungslehre auf Israel» kommen. Paulus – so Käsemann – betrachtet «Rechtfertigung als endzeitliches Geschehen ... und deshalb im Horizont der Auferweckung der Toten und der Schöpfung einer neuen Welt ... Davon kann er Israel nicht ausnehmen» (298).

Das Subsumtionsmodell vollzieht also die «Projektion (der weltweiten allgemeinen iustificatio impii) auf Israel» (301), plädiert also dafür, «daß bei Paulus das Maß für die Heidenwelt zum Maß auch des Judentums wird, weil Rechtfertigung der Gottlosen nicht mehr Israel ... zum Maß der Heidenwelt erklärt» (302). «Der Apostel kann an Israel nicht vorübergehen, weil seine Theologie es mit dem Heil der Welt zu tun hat» (ebd.). Kam das Heil einst von den Juden, so kann das Heil für die Juden nur noch im Rahmen des Heils für die Heidenwelt verstanden werden. Ist Gott der Schöpfer der Welt und wird Rechtfertigungslehre in weltgeschichtlicher Perspektive als Ende der alten und Beginn der neuen Welt, d.h. also schöpfungseschatologisch verstanden, «so kann auch das Problem Israels konsequenterweise nur unter diesem Thema gelöst werden» (304). Die Frage, die ich an E. Käsemann stellen möchte, kann ich so formulieren: Ist die Rechtfertigung der Schlüssel zur Erwählung Israels oder ist umgekehrt die Erwählung Israels der einzige Schlüssel zur Rechtfertigung des Gottlosen?

Käsemanns Exegese akzentuiert den Bruch, den das Ereignis des Kreuzes und der Auferweckung hinsichtlich der Erwählung und des Bundes Israels bedeutet.

Ich fasse zusammen: Bei den bisher geschilderten Modellen,

a) dem Substitutionsmodell (die Kirche ersetzt Israel),
b) dem Integrationsmodell (die Kirche integriert das Rest-Israel bzw. das Bekehrungs-Israel),
c) dem Typologiemodell (Israel ist die Vorabbildung der Kirche),
d) dem Illustrationsmodell (Israel ist die exemplarische Negativ-Folie der Kirche),

e) dem Subsumtionsmodell (das Allgemeine der Rechtfertigung des Gottlosen erfährt seine Anwendung auch auf Israel),

handelt es sich um eine erste Gruppe von Modellen, die auf die Eliminierung und Eskamotierung der Besonderheit Israels und seiner Erwählung in der Geschichte Jesu Christi hinauslaufen.

Im Folgenden geht es um eine zweite Gruppe von Modellen, die die Wahrnehmung der bleibenden Besonderheit der Erwählung Israels zu ihrem eigentlichen Skopus haben. Ich meine

a) das Komplementärmodell,

b) das Repräsentationsmodell,

c) das Partizipationsmodell.

2. Modelle der Verhältnisbestimmung von Israel und Kirche, die auf die Wahrnehmung der bleibenden Erwählung Israels hinauslaufen

a) Das Komplementärmodell

Israel und die Kirche werden hier als die beiden solidarischen, dialogischen, koexistierenden bzw. proexistierenden oder auch schismatischen, sich deshalb gegenseitig infragestellenden bzw. sich im eschatologisch-messianischen Hoffnungshorizont anstachelnden Größen verstanden.

Man kann die Komplementarität zwischen Israel und der Kirche (1) soteriologisch verstehen und wird dann mit G. Eichholz von der Solidarität zwischen Israel und der Kirche reden müssen: Paulus «umschreibt Gottes Handeln an Israel und an der Welt (Kirche) als das Handeln des Erbarmers ... Das verbindet Israel und die Welt (Kirche) zu letzter Solidarität – das kann von beiden nur in letzter Solidarität beantwortet werden. Daß es zu dieser Solidarität kommt, ist der Sinn des Ringens des Paulus in Röm. 9–11. Was die Stunde regiert, ist eine zunehmende Distanz. Aber diese Distanz muß abgebrochen werden ... Israels gegenwärtiger illusionärer Existenzversuch (‹als ob es auf Grund von Werken möglich wäre›) hat seine genaue Analogie im Existenzversuch der Kirche, sich von Israel zu distanzieren und damit Gottes freie Gnade als ihren Ursprung zu verkennen» (288). Hatte der Ungehorsam Israels zur Folge, daß nun die Menschen der Völkerwelt das Erbarmen Gottes fanden, ist die erbarmende Zuwendung Gottes zur Völkerwelt die Konsequenz von Israels Schuld, so fragt Eichholz: «Bleibt (der Kirche) etwas anderes als eine letzte Dankbarkeit, als eine unkündbare Solidarität ... im Verhältnis der Kirche zu Israel» (Paulus 1972, 298)?

Wenn Barth von dem exemplarischen Rebellentum Israels gegen den Gott seiner Erwählung, wenn er seit der Zeit des ersten Römerbriefkommentars von der vorbehaltlosen Solidarität zwischen Kirche und Israel spricht, dann hat er diese Solidarität der jetzt Gerechtfertigten aus der Völkerwelt mit den noch Nicht-Glaubenden aus der Synagoge und also diese Solidarität zwischen der Kirche und der Synagoge gemeint.

Man kann (2) bundestheologisch von dem «ungekündigten Bund» her – so wie es K. Kupisch u. a. getan hat – von der Parallelität, der Koexistenz, ja sogar der Proexistenz von Kirche und Synagoge sprechen: «Das Geheimnis Juden und Christen in ihrem gottgewollten Nebeneinander, Miteinander und – wie es uns diese sinkende Zeit noch lehren wird – auch Füreinander unter dem einen gemeinsamen Gott – dieses Geheimnis beginnt uns erst in unseren Tagen aufzugehen» (Der ungekündigte

Bund, 85). Die Zusammengehörigkeit von Israel, auch der Synagoge post Christum crucifixum, und Kirche «unter dem einen Bogen des Bundes» ist Fundamentalsatz in Barths Israellehre. Der ungekündigte Bund, die auf dem Boden dieses ungekündigten Bundes geforderte Solidarität ruft nach der Koexistenz von Kirche und Synagoge, sie ruft nach der Proexistenz der Kirche für die Synagoge.

Man kann die Komplementarität zwischen Israel und der Kirche (3) dialogisch verstehen und – wie Fr. W. Marquardt u. a. gefordert und ausgeführt hat – «jüdisches Selbstverständnis» als eine weitere kategoriale Dimension in die theologische Diskussion einführen, «um so ... Barths Meinung (hinsichtlich seiner Israellehre) ... zu profilieren und zu fragen: ob Erwählung in Christus wirklich zu einem solchen Schweigen gegenüber dem Erwählungs(selbst)verständnis des Judentums führen muß» (130). Und man kann das wie Marquardt dahingehend präzisieren, indem man eine dreidimensionale Israellehre unter Einbeziehung des jüdischen Selbstverständnisses vornimmt: «So ist im Blick auf die Israel-Lehre stets zu fragen, ob die ‹erste› Dimension, in der wir das Faktisch-Geschichtliche jüdischer Existenz – ob die ‹zweite› Dimension, in der wir die theologische Selbstauslegung dieser Existenz suchen möchten, von Barth wirklich stimmig und schlüssig gesehen und beschrieben wurden, ehe sie – oder besser: indem sie auf die dritte Dimension (Gottes freie Wahl, Gottes Gnade und Gericht) bezogen wurden» (295f.). Und zwar ist eine theologisch-hermeneutische Theorie des Dialogs zwischen Judentum und Kirche, in der jüdisches Selbstverständnis, d.h. die theologische Selbstauslegung jüdischer Existenz fruchtbar gemacht wird, über Barth hinaus nach Marquardt deshalb nötig, weil «Barth jüdisches Selbstverständnis zu oft als quantité négligeable behandelt» (296). So kann Marquardt zuletzt thetisch formulieren: «Gott hat sein Volk nicht verstoßen. Israel ist nicht zur Puppe und Figur degradiert. Es hat wie Existenz so Selbstbewußtsein, und beides ist voneinander nicht zu trennen. Leibliches Darstellen ist willentliches, nicht unfreiwilliges Darstellen» (Die Entdeckung des Judentums 1967, 320).

Es müßte anhand des bisher nicht veröffentlichten Briefwechsels Barths mit Juden und Rabbinern, anhand seines in Amerika praktizierten und theologisch begründeten Dialogs mit amerikanischen Juden und im Vergleich mit KD II,2, § 34,3, wo der Synagoge das Empfangen der gehörten Verheißung ausdrücklich bestätigt wird, geprüft werden, welche Rolle Barth dem jüdisch-theologischen Selbstverständnis zugewiesen wissen wollte. Ich nenne in diesem Zusammenhang im Hinblick auf den Briefwechsel zwischen Barth und H. J. Schoeps aus dem Jahre 1934 ein dreifaches:

1. Barth hat von einer für alle Zeiten gültigen Verbundenheit zwischen der Kirche und der Synagoge gesprochen «in einer Gemeinschaft, wie sie zwischen keinen zwei anderen ‹Religionen› möglich ist». Das

Judentum und die Synagoge gehören für Barth – entgegen einer gängigen religionsgeschichtlichen Klassifizierung und Verallgemeinerung – nicht zu den sog. nicht-christlichen Religionen.

2. Barth hat im Hinblick auf das jüdische Selbstverständnis bzw. genauer: im Hinblick auf das von der Synagoge ausgelegte Alte Testament gesagt: «Was könnte sie (die christliche Theologie) sich Besseres wünschen, als daß ihr ihr von der Synagoge Ererbtes immer wieder in seiner ganzen Eigentümlichkeit vor Augen geführt werde»? Denn – so hat Barth begründet – die Sache der Synagoge und also jüdisch-theologisches Selbstverständnis «geschieht im Raum des Glaubens (der Erwählung), der zwar nicht der christliche (sondern der alttestamentliche), der aber ... im christlichen auf alle Fälle mit bejaht ist». Barth hat damit sein Interesse am «immanenten jüdischen Verständnis des AT» Schoeps gegenüber ausdrücklich bekundet, sein Interesse an einer durch die Synagoge und durch jüdische Theologie artikulierten und gegenüber christlichem Mißverständnis präzisierten Eigentümlichkeit und Eigenaussage des Alten Testaments als der Bedingung der Möglichkeit für den Dialog zwischen Synagoge und Kirche. Hat doch die Synagoge mit der christlichen Kirche und Theologie gemeinsam das Alte Testament als «von ihr selbst anerkannte Instanz», «der gegenüber sie sich selber verantwortlich weiß und erklärt» (KD II,2 272). Entsprechend äußert sich Barth in seinem 1962 mit dem amerikanischen Rabbiner Jakob Petuchowski geführten Gespräch auf dessen Fragen nach einer Möglichkeit des jüdisch-christlichen Dialogs unter der Voraussetzung, daß Barth aufgrund der «Verleugnung Jesu Christi durch die Synagoge» von ihr als dem Schattenbild und von Israel als dem exemplarischen Rebell spricht: «Es gibt einen offenen Weg für das Gespräch zwischen jüdischen und christlichen Theologen wie mir. Und zwar haben wir eine wirklich breite Gesprächsebene, denn wir lesen dieselbe Thora, dieselben Propheten und dieselben Schriften» (Fragen von Rabbi Petuchowski, Antworten von Karl Barth, in: Criterion. A Publication of the Divinity School of the University of Chicago, Vol. II No. 1, 1963, 18–24,19). Diese Aussagen sind nicht zufällig oder gar peripher. Hatte doch Barth im Jahr 1942 unter dem Stichwort der «gehörten ... Verheißung Gottes» (KD II 2, § 34) die Bedingung der Möglichkeit für einen Dialog mit der Synagoge so zusammenfassen können: «Israel ist Hörer der Verheißung» (259).

3. Barth hat im Gespräch mit Rabbi Petuchowski auf die für die christliche Theologie wesentliche neutestamentliche Aussage von der Erfüllung der Verheißungen und der Thora desselben einen Gottes in Jesus Christus hingewiesen und darin das Moment der Differenz und Distanz im Verfolg eines solchen Dialogs gesehen (a.a.O. 20). Und genau von dieser im Neuen Testament ausgesagten Erfüllung der Verheißungen und der Erfüllung der Thora her hat Barth – in seinem Schreiben an H. J. Schoeps – jüdischer Theologie die Aufgabe zugewiesen, ihrerseits zu-

gleich die Negation und die Gründe für die Ablehnung der im Neuen Testament verkündigten Erfüllung zu formulieren: «Ist Ihnen wohl klar», so heißt es im Brief an Schoeps, «daß die Begriffe Offenbarung, Erwählung, Gesetz, Gnade, Vergebung, Umkehr gerade in der Interpretation, in der Sie sie da vortragen, erschütternd genau das bezeichnen, was Paulus den ‹nomos› und die ‹dikaiosyne ek nomou› bezeichnet hat? ... Ich meine, Römer 9–11 noch nie so gut verstanden zu haben wie heute, nachdem ich Ihren wirklich ergreifenden ... Lobpreis des Gesetzes ... gelesen habe». Und Barth, der also 1. für die für alle Zeiten gültige Verbundenheit zwischen Kirche und Synagoge, wie sie zwischen keinen zwei anderen Religionen besteht, votiert hat und der 2. die Notwendigkeit einer Formulierung des «immanent jüdischen Verständnis des AT» zum Ausdruck gebracht und die Bedingung der Möglichkeit für einen Dialog zwischen jüdischer und christlicher Theologie in dem beiden gemeinsamen Tenak bzw. Alten Testament benannt hat, weist nun 3. der jüdischen Theologie zugleich die indirekte Bezeichnung der Grenze folgendermaßen zu: «Eine systematische Theologie des Judentums auch und gerade ‹in dieser Zeit› (der Brief stammt vom 17. Februar 1934) muß ja wohl in dem Nachweis gipfeln, daß Jesus gekreuzigt werden mußte». Diesem Briefteil aus dem Jahre 1934 entspricht in KD II/2, § 34,3 exakt folgender Satz Barths: «Wo sollte die Welt (?!) und die Kirche lernen, von wem und für wen Jesus Christus gekreuzigt wurde, warum er gekreuzigt werden mußte, wenn nicht ... von der das Wort Gottes hörenden und bei und in allem Hören immer noch glaubenslosen Synagoge» (260)? Ob Barth solche Sätze noch in der Situation nach Auschwitz hätte schreiben können und dürfen?

Man kann die Komplementarität zwischen Israel und der Kirche auch (4) schismatisch verstehen und erleiden und von daher von dem «gespaltenen Gottesvolk» sprechen (Sammelband der Arbeitsgemeinschaft Juden und Christen, hg. von H. Gollwitzer und Eleonore Sterling 1961) und insofern mit den französischen Bischöfen von einem «gegenseitigen Sich-in-Frage-Stellen» sprechen. Das ausgezeichnete Votum der französischen Bischöfe, das über «Nostra aetate» hinaus von der «speziellen Aufgabe des jüdischen Volkes im Plan Gottes» (III) spricht, markiert zugleich die Grenze, wie sie Barth durch die messianische Erfüllungsgeschichte und das Kreuz bezeichnet sieht: «Israel und die Kirche sind nicht zwei Institutionen, die einander ergänzen. Das permanente Gegenüber Israels und der Kirche ist das Zeichen für den noch unvollendeten Plan Gottes» (VIIb). Wenn Barth von der einen Gemeinde in der Doppelgestalt von Synagoge und Kirche spricht (KD II/2,215ff.) hat er die schismatische Komplementarität des einen Gottesvolkes akzentuieren wollen.

Man kann schließlich die Komplementarität zwischen Juden und Christen, zwischen Israel und der Kirche (5) eschatologisch-messianisch im Sinne der Solidarität der messianischen Hoffnung zwischen Kirche und Synagoge verstehen, wie es J. Moltmann in seinem Buch «Der gekreuzigte Gott» (1972), in seinem Aufsatz «Jüdischer und christlicher Messianismus» (in: «Das Experiment Hoffnung» 1974, 82ff.) und zuletzt in seiner Ekklesiologie getan hat, wo er für eine «Rückwendung der Kirche zu ihrem israelitischen Ursprung (plädiert): eine Rückwendung zum Alten Testament, die zugleich eine Umkehr zur messianischen Hoffnung für die Welt bedeutet. Denn die Rückwendung zum israelitischen Ursprung kann für die Christenheit nichts anderes bedeuten als die christliche Freisetzung des israelitischen Messianismus, damit Christen und Juden sich mit dem ‹Elan der Hoffnung› gemeinsam der Welt zuwenden» (Kirche, 156). Kommt dieser Einklang in der messianischen Hoffnung «von jüdischer Seite ... aus der Geschichte von Exodus und Bund und aus den Weisungen der Thora» (Kirche, 169), so kommt er von christlicher Seite aus der Geschichte Jesu Christi: aus der «Erinnerung an den gekreuzigten Antizipator des Reiches», aus der Erinnerung an «jene eschatologische Vorwegnahme der Erlösung, ja die Vorwegnahme durch und an einem Ausgestoßenen, Verworfenen und Gekreuzigten» (Gott, 98). Und diese »eschatologische Christologie des Gekreuzigten» als des Antizipators des Reiches markiert zugleich die Grenze: «Die letzte Differenz zwischen Juden und Christen liegt in der Stellung zum Gekreuzigten. An ihm muß christlich auch noch der messianische Erwartungshorizont durchbrochen werden und die Hoffnung in einer unerlösten Welt neu begründet werden» (Gott, 100).

Moltmann hat die messianisch-eschatologische Komplementarität zwischen Israel und der Kirche als eine wechselseitige Infragestellung in der gemeinsamen Berufung verstanden: Israel bleibt, wo es seiner besonderen Berufung (der Heiligung des göttlichen Namens, der beständigen Praxis der Hoffnung auf das Kommen des Reiches und dem Gehorsam gegenüber dem göttlichen Willen in der Thora im Einsatz für die Gerechtigkeit) treu bleibt, «ein Stachel in der Seite der Kirche ... Die Kirche bleibt, wo sie ihrer Berufung treu bleibt, aber auch ein Stachel in der Seite Israels. Sie bezeugt die Gegenwart der Versöhnung der Welt mit Gott, ohne die es keine begründete Hoffnung auf ihre Erlösung gibt» (Kirche, 170).

b) Das Repräsentanzmodell

Das Repräsentanzmodell als Modell der repräsentierenden Stellvertretung ist auf dem Hintergrund von Römer 9–11 in einer doppelten Richtung auszusagen: 1. Rest-Israel ist der Platzhalter für ganz Israel und 2. die hinzugekommenen Heidenvölker sind der repräsentierende Platzhalter für das synagogale Mehrheits-Israel, an dessen Stelle sie vorläufig an der Erwählung Israels teilnehmen und zur Erwählung Israels hinzuberufen sind.

Ist es nämlich – führt Barth aus – zweifellos so, daß Paulus in der Berufung der Heiden die hoseanischen Heilsverheißungen sich erfüllen sieht, so darf man doch die Meinung des Paulus nicht im Sinne des Ersatzes, so muß man vielmehr die Aussage des Paulus im Sinne der Repräsentanz und Platzhalterschaft interpretieren. Denn «man darf die Meinung des Paulus bei diesem Hinweis auf die überschwängliche Erfüllung jener (hoseanischen) Weissagung (in der Berufung der Heiden) nicht negativ gegen Israel wenden, als solle mit den Hoseazitaten (Röm. 9,25ff.) gesagt werden: Was dort dem verworfenen Israel geweissagt wurde, das ist nun nicht mehr an ihm, sondern an seiner Stelle an den glaubenden Heiden in Erfüllung gegangen, das gilt ihm also nicht mehr ... Man muß doch die Hoseazitate auch ganz einfach als eine Wiederholung der ursprünglich – und ... auch definitiv! – an Israel, nämlich an jenes andere, verworfene Israel gerichteten Weissagung lesen und verstehen. Sie reden, indem sie von der Berufung der Heiden reden ... nun erst recht auch von der Zukunft dieses verworfenen Israel» (KD II, 2, 254).

Das Repräsentanzmodell akzentuiert die Partikularität des judenchristlichen Rest-Israels in der Perspektive der Erwählung und Verheißung für ganz Israel. Die Bedeutung dieses biblischen inklusiven Rest- und Repräsentanzgedankens hat Marquardt in seiner Analyse der Israellehre Barths treffend herausgestellt: «Barth denkt mit dem ‹Rest› die Stellvertretung zusammen, hat ein inklusives Verständnis des ‹Restes›, substituiert dem ‹Rest› die ‹Stellvertretung› aber nicht willkürlich, sondern begründet diese Interpretation in der Lebendigkeit Gottes» (253).

Das Repräsentanzmodell präzisiert zugleich das solidarische Verhältnis der Heidenchristen zu Israel als ein Verhältnis repräsentierender Stellvertretung, insofern die Heiden vorläufig an die Stelle des den Messias Israels noch nicht erkennenden Israels treten, darin aber die Stelle für Israel solidarisch offenhalten. Das Repräsentanzmodell ist die Antithese zum Substitutionsmodell, insofern die Heiden als Platzhalter für Israel an die Stelle des synagogalen Mehrheits-Israels treten, nicht um dieses zu ersetzen, sondern um es zu vertreten, d.h. Israel den Platz offenzuhalten!

G. Eichholz spricht deshalb in Bezug auf Röm. 11,11–15 von einem unbegreiflichen Tausch, den er freilich nicht im Sinne der Substitution, sondern im Sinne der Stellvertretung versteht: «Paulus steht vor einem unbegreiflichen Tausch. Wer vorher ‹drinnen› war, ist nun ‹draußen›, wer ‹draußen› war, ist nun ‹drinnen› ... Ich wage zu fragen: Bleibt etwas anderes als ... eine unkündbare Solidarität ... im Verhältnis der Kirche zu Israel – wenn es wahr ist, daß die Kirche ‹drinnen› sein darf, während Israel ‹draußen› ist» (298)?

Die Relevanz dieser heidenchristlichen Repräsentanz und Platzhalterschaft für Israel im Denken Barths ist von Marquardt eindrücklich herausgestellt worden (260). Die sich in der Situation nach Auschwitz darüber hinaus allerdings stellende Frage lautet, ob sich die von Barth ausgesagte *heidenchristliche Platzhalterschaft für Israel* durch das

Martyria-Leiden des Judentums umgekehrt hat in eine *Platzhalterschaft Israels für die Kirche*, insofern der Angriff der Nationalsozialisten auf das Judentum, der – wie D. Bonhoeffer, H. J. Iwand und R. R. Geis gesagt haben – auch Christus und der Kirche galt, von dem getroffenen Judentum für die abseitsstehende Kirche stellvertretend getragen und erlitten worden ist.

c) Das christologisch-eschatologische Partizipationsmodell

Kann das Substitutionsmodell als das die in der ersten Gruppe genannten Modelle übergreifende, so kann das christologisch-eschatologische Partizipationsmodell als das die in der zweiten Gruppe besprochenen Modelle in sich einschließende Modell bezeichnet werden. Wird doch das Komplementär- und das Repräsentationsmodell durch das Partizipationsmodell allererst zur Eindeutigkeit gebracht. Umgekehrt bedarf das Partizipationsmodell der notwendigen Absicherung durch die beiden anderen Modelle der Zuordnung von Israel und Kirche.

Das Partizipationsmodell kann auch als Dependenzmodell bezeichnet werden: Das christologisch-eschatologische Dependenzmodell meint, daß die Heidenchristen und auch die Völkerwelt von der Geschichte des erfüllten Bundes in Jesus Christus her nicht nur in der Vergangenheit, sondern auch in der Zukunft und insofern bleibend von der Erwählung Israels und der Erfüllung der Erwählung in Jesus Christus ganz Israel gegenüber a b h ä n g e n (Dependenz). Das die bleibende Abhängigkeit und Abkünftigkeit der ökumenischen Völkerkirche von der Erwählungs- und Verheißungsgeschichte Israels akzentuierende christologische Dependenzmodell wäre aus der Perspektive der Teilnahme der Völkerwelt an der Verheißungsgeschichte Israels, wie sie in der Geschichte Jesu Christi ihre Bestätigung und bleibende Gültigkeit erfährt, als ein christologisch-eschatologisches Partizipationsmodell zu beschreiben, insofern die Menschen aus der Völkerwelt durch Jesus Christus an der Erwählungs- und Verheißungsgeschichte Israels t e i l n e h m e n (Partizipation).

Das Partizipationsmodell sagt die bleibende Hinzuberufung der Heiden zur Erwählungsgeschichte Israels in Jesus Christus aus, versteht also auch die Völkersendung streng im Kontext nicht einer allgemeinen Schöpfungseschatologie (Käsemann), sondern im Kontext der partikular-universalen Eschatologie Israels (Röm. 11,25f.; Mk. 13,10.26f.; Acta 1,16ff.; Eph. 2,11ff.). Ihr Leitbild ist die eschatologische Völkerwallfahrt zum Zion, die durch den heilsgeschichtlichen Umweg über die Völkersendung nicht aufgehoben wird, sondern in der Sache bestätigt und nur in ihrer Gestalt und im Hinblick auf den Weg ihrer Erfüllung eine Modifikation erfährt. Das Partizipationsmodell will gerade von der christologischen Erfüllungsgeschichte her festhalten: Die Geschichte des Handelns Gottes mit den Völkern gehört in den Rahmen der bleibend gültigen Erwählung ganz Israels in Jesus Christus und in den Kontext des freien und treuen Erwählungshandelns Gottes mit Israel und der Erfüllung und Durchführung dieser Erwählung in der Geschichte Jesu Christi.

Das christologisch-eschatologische Partizipationsmodell macht speziell im Hinblick auf die Exegese von Röm. 11,25f. zwei exegetische Voraussetzungen, die angesichts der systematischen Relevanz des Dependenz- bzw. Partizipationsmodells hier eigens genannt werden sollen: 1. Röm. 11,25 setzt «das alte Motiv der Völkerwallfahrt zum Zion» voraus und wendet es «auf die Heidenmission an» (P. Stuhlmacher, Zur Interpretation von Röm. 11,25–32, in: FS von Rad 1971, 560). In seiner noch nicht veröffentlichten Auslegung zu Röm. 9–11 schreibt G. Eichholz: «Paulus schärft mit dem Gleichnis ein: Es gibt nur einen einzigen Ölbaum – nicht eine ‹ganze Allee› von Ölbäumen, wie Schlatter in Korrektur so manchen Kirchenverständnisses bemerkt. Der Begriff der Völkerkirche hängt in der Luft (!): Die Christen aus den Völkern können nur zu dem Volk Gottes hinzukommen, das zuerst gerufen ist» (17) – 2. Das Israel in Röm. 11,26 meint nicht das Gottesvolk aus Juden und Heiden, sondern meint – in Entsprechung zum Begriff des PLEROMA von Röm. 11,12 – die «apokalyptische Vollzahl Israels» im Gegenüber zum eschatologischen Maß der Völker (G. Eichholz 20f.; ähnlich argumentieren G. Harder, in: FS G. Harder «Treue zur Thora» 1977, 76 und W. G. Kümmel, U. Wilckens und P. Benoit in: Monographische Reihe von ‹Benedicta›, Biblisch-ökumenische Abteilung 3/1977, 206f., 208,212).

Indem aber das christologische Partizipationsmodell die Sendung an die Völker streng im Kontext der Eschatologie des erwählten Israel begreift, muß es von einem entgegengesetzten Verständnis der Erwählung Israels im Kontext einer umfassenden, am Maß der Völkerwelt orientierten Schöpfungseschatologie abgegrenzt werden, wie sie am Beispiel des Subsumtionsmodells und wiederum am Beispiel der Exegese E. Käsemanns verdeutlicht worden ist. Verneinte E. Käsemann: «Der durch seine Bundespartnerschaft gebundene (sich in Freiheit bindende) Gott kann nicht der Gott des Kreuzes und der Gottlosen sein» (274), so wird Barth in genau entgegengesetzter Weise den Zusammenhang von Bund und Erwählung einerseits und Kreuz und Auferweckung andererseits bejahen, insofern der Gott der Erwählung und des Bundes mit Israel im Kreuz zwar jegliche von Israel usurpierte Erwähltheit in der Gestalt der «dikaiosyne ek nomou» richtet, aber in der Geschichte von Kreuz und Auferweckung zugleich entscheidend die Erwählung Israels und die Verheißungen gegenüber Israel zur Erfüllung bringt und in diesem Geschehen zugleich die Heiden in die Erfüllung des Bundes mit Israel einbezieht, die Völkerwelt also an der in Christus erfüllten Bundesgeschichte in der Form der iustificatio impii partizipieren läßt.

Daß gerade die Erfüllung des Bundes und der Erwählung Israels sich in der Geschichte von Kreuz und Auferweckung, also im Ereignis von

Gericht und Gnade und also im Zerbrechen aller menschlichen Privilegien vollzieht, die Erfüllung des Bundes also die Gestalt der iustificatio impii annimmt und daß gerade dies impliziert, daß auch die Heiden in die Erwählung Israels einbezogen werden, daß sich also in der Geschichte Jesu Christi als der Erfüllungsgeschichte des Bundes mit Israel zugleich die Teilnahme der Menschen aus den Heiden bzw. die Hinzuberufung der Heiden in den Bund Gottes mit Israel vollzieht, ist der Skopus der Barthschen Aussagen, dessen Israellehre – wie noch zu zeigen sein wird und in welcher Verkürzung auch immer – sich grundsätzlich im Rahmen dieses christologisch-eschatologischen Partizipationsmodells bewegt. Die im Jahre 1942 während des 2. Weltkrieges und der Judenvernichtung geschriebenen christologischen Grundsätze Barths lauten: «Jesus Christus ist der gekreuzigte Messias Israels ... Jesus Christus ist der auferstandene Herr der Kirche» (KD II 2,218). Und gegenüber jeglichem Mißverständnis dieser Sätze in Richtung auf das Substitutionsmodell präzisiert Barth sofort: «Er ist aber eben als der auferstandene Herr der Kirche auch (!) der offenbarte Messias Israels, das Gott ... bestätigt ... als Hörer seiner Verheißung» (ebd.). Der gekreuzigte Messias Israels und so auch der Völkerwelt und der Kirche ist der auferweckte Messias Israels und so auch der Völkerwelt und der Kirche und darin die Hoffnung Israels und so auch der Völkerwelt und der Kirche. Das Neue Testament redet Barth zufolge «konkret davon, daß der gekommene Messias Israels, der in die Welt gekommene Heiland der Welt ist» (KD IV 1,182). Präziser wäre zu formulieren: der gekommene, gekreuzigte, auferweckte und kommende Messias Israels ist als solcher auch der Versöhner der Völkerwelt.

Insofern aber Käsemann das Kreuz und die Auferweckung nur im Horizont der schöpfungseschatologisch verstandenen iustificatio impii interpretieren möchte, muß er nicht nur Israel unter das Allgemeine der den Heiden geltenden iustificatio impii subsumieren, sondern muß er zugleich das Besondere der Erwählung und des Bundes Gottes mit Israel eliminieren, kann er also infolgedessen auch nicht mehr von einer in der Geschichte von Kreuz und Auferweckung erfolgten Projektion des Bundes und der Erwählung Israels auf die Völker bzw. genauer von einer in dieser Geschichte der Diskontinuität und Neuschöpfung erfolgten Einbeziehung der Völkerwelt in den Bund und die Erwählung Israels sprechen.

D. h. aber positiv formuliert: Nur eine solche systematische Konzeption vermag der Exegese von Römer 9–11 und damit einer theologischen Israellehre gerecht zu werden, die die Bestätigung und Erfüllung der Erwählung und der Verheißungen gegenüber Israel in der Diskontinuität von Kreuz und Auferweckung auszusagen vermag, die also zu zeigen vermag, inwiefern die Durchführung der Erwählung Israels in der Geschichte des Kreuzes die Gestalt der iustificatio impii annehmen mußte, in die dann auch die Völkerwelt einbezogen werden konnte.

Kommt es aber gerade in der Geschichte der Neuschöpfung aus den Toten nicht nur zum Gericht über Israel und die Völkerwelt, sondern zur Erfüllung des Bundes Gottes mit Israel und zur Bestätigung der Erwählung gegenüber Israel, dann kann nicht mehr von einer Subsumierung Israels unter das Maß der Heiden in der iustificatio impii und also von einer Projektion der Rechtfertigungslehre auf Israel (E. Käsemann), sondern nur noch von der Integration der Heiden in die Erfüllung des Bundes und von der Bestätigung der Erwählung gegenüber Israel in Jesus Christus gesprochen werden. Nicht Israel wird dann in die Kirche, sondern die Heiden werden in Jesus Christus in die Erwählung Israels integriert, wobei in der Geschichte dieser Integration die Erwählung Israels die Gestalt der iustificatio impii annimmt.

Im Gegensatz zu dem am Subsumtionsmodell orientierten Satz Käsemanns: «So ist die Rechtfertigung der Gottlosen und (die) Auferweckung von den Toten die einzige Hoffnung wie der Welt überhaupt, so auch Israels» (EVuB II 197) wäre dann im Sinne des Partizipationsmodells zu formulieren: Die Rechtfertigung des Gottlosen in der Geschichte von Kreuz und Auferweckung ist die Durchführung und Bestätigung der Erwählung Israels, die angesichts des Neins Israels die Gestalt der iustificatio impii annimmt (ouk ex ergoon, all' ek pisteos), an der angesichts der universalen Intention des partikularen Bundes Gottes mit Israel auch die Heiden partizipieren können. Die Integration der Völkerwelt in die Erwählung Israels bzw. die Partizipation der Völkerwelt an der Erwählung Israels und die bleibende Dependenz der Völkerwelt von der in Christus bestätigten Erwählung Israels wäre die Essenz der paulinischen Aussagen in Römer 9–11. Barths Exegese von Römer 9–11 liegt in der Richtung dieses christologisch-eschatologischen Dependenz- bzw. Partizipationsmodells und wird sich kritisch befragen lassen müssen, inwieweit sie diesem Modell immer gerecht wird. Die Besonderheit dieses Dependenzmodells angesichts der Tatsache, daß die Kontinuität der Erwählung Israels in der Diskontinuität von Kreuz und Auferweckung Jesu Christi Ereignis ist und von daher die Partizipation der Völkerwelt an dem Bund Gottes mit Israel erfolgt, mag im Vergleich mit Käsemanns Subsumtionsmodell deutlich geworden sein.

Ich möchte deshalb im Gegensatz zu E. Käsemanns Exegese folgende These aufstellen: So sehr in der Rechtfertigung des Gottlosen die Wahrheit der Erwählung Israels herauskommt, so wenig wird durch die Rechtfertigung des Gottlosen die Prärogative Israels, die Erwählung Israels aufgehoben und einer allgemeinen Rechtfertigung des Gottlosen eingeordnet. Vielmehr kommt es gerade infolge und auf dem Grunde der Rechtfertigung des Gottlosen zur Einbeziehung der Völkerwelt in die Erwählungs- und Verheißungsgeschichte Israels, wie sie in der Geschichte Jesu Christi ihre Begründung, Bestätigung und Bekräftigung erfahren hat.

Die Verheißung gegenüber Israel nimmt durch die Erfüllung im Christus Jesus die Gestalt der iustificatio impii an, in die nun auch die Heiden einbezogen werden können. Die iustificatio impii ermöglicht zugleich die Einbeziehung der Heiden in die Erwählung Israels. Die Gerichts- und Rechtfertigungsgeschichte in Kreuz und Auferweckung ist die Durchführung und Erfüllung der Erwählung Israels, an der in diesem Geschehen auch die Heiden Anteil erhalten. Erwählung bzw. Vollzug und Durchführung der Erwählung werden in Gericht und Gnade konkret, dennoch wird die bleibende Erwählung Israels und die fortdauernde Treue Jahwes zu Israel nicht zur Illustration der iustificatio impii. Rechtfertigung meint auch paulinisch nicht die weltweite schöpfungstheologische Dimension der Gerechtigkeit Gottes, der die Erwählung Israels subsumiert werden kann, sondern Rechtfertigung des Gottlosen ist die konkrete Gestalt der Durchführung der Erwählung Israels im Christus Jesus, in der es zugleich zu der Hinzuberufung der Heiden in den Bund mit Israel kommt.

In der Gerichts- und Rechtfertigungsgeschichte von Kreuz und Auferweckung kommt demnach heraus, daß das Wesen der partikular-universalen Erwählung Israels schon im Anfang durch die barmherzige Freiheit und die freie Barmherzigkeit Gottes konstitutiv bestimmt war. Erwählung Israels ist deshalb nicht die Spezifikation und Illustration der Rechtfertigung Gottes im Bereich der Heilsgeschichte, sondern Rechtfertigung ist die konkrete Bewährung der Erwählung Israels und die konkrete Gestalt der Durchführung und Erfüllung der Verheißung an Israel, die sich zugleich in der Weise der Aufnahme und Annahme bzw. Hinzunahme der Heiden vollzieht. Erwählung Israels als die Projektion der Rechtfertigung der Welt auch auf Israel (Käsemann) – Rechtfertigung als die konkrete Bestätigung und Durchführung der Erwählung Israels stehen sich hier gegenüber. Die Hinzuberufung der Heiden (kalein) ist deren Teilnahme an der Erwählung Israels (Röm. 9,24). Die Erwählung Israels ist nicht eine Variation der paulinischen Lehre von der Rechtfertigung (E. Käsemann 254), sondern die Rechtfertigung ist die Konkretion der Erwählung Israels, wobei in dieser Konkretion von Gericht und Gnade die Teilnahme der Heiden an der Erwählung Israels Ereignis wird. Die Hinzuberufung der Heiden in die Verheißungsgeschichte Israels ist die Variation der Erwählung Israels in der Gestalt ihrer Projektion auch auf die Heiden durch die iustificatio impiorum!

Als Beispiel für das christologisch-eschatologische Partizipationsmodell möchte ich die Römerbrief-Exegese von G. Eichholz nennen: Das Thema der Gnade Gottes, der freien und unbegründbaren Gnade der Zuwendung Gottes zu Israel schließt die Rechtfertigungstheologie ein (Eichholz 293f.). «Das Geheimnis Israels ist auch das Geheimnis der Kirche». «Die Ekklesia nimmt an Gottes erwählendem Erbarmen teil, an dem Israel von seinen Anfängen an teilhatte» (296). In gewisser Spannung zu solchen Sätzen heißt es dann freilich, «daß Paulus das Rätsel der Geschichte Israels zuletzt von den Einsichten der Rechtfertigungstheologie her angeht ..., weil das ‹Geheimnis›, das er mitteilt, im Rahmen (!) der Rechtfertigungstheologie verbleibt ... Die Rechtfertigungstheologie ist ... der Leitfaden des Paulus bei allen Überlegungen über die Geschichte Gottes mit Israel und mit der Welt» (ebd.). Daß die Durchführung der Erwählung Israels die Gestalt von Gericht und Rechtfertigung in Kreuz und Auferweckung annimmt und daß damit die Heiden an diesem erwählenden Erbarmen Gottes gegenüber Israel Anteil bekommen (vgl. 296), kommt in diesen Aussagen nicht mehr deutlich zum Zug. Eichholz nimmt damit eine Zwischenstellung zwischen dem soteriologisch-rechtfertigungstheologisch orientierten Subsumtionsmodell (E. Käsemann) und dem christologisch-erwählungstheologisch bestimmten Partizipationsmodell (K. Barth) ein. Es bleibt die Frage, die Eichholz in der Akzentuierung von beiden Momenten offenläßt: Ist die Rechtfertigungstheologie (Gottes Recht an der Welt) der Rahmen der Israellehre, die dann zur Projektion der Rechtfertigung auch auf Israel wird – oder ist die iustificatio impii die Gestalt der Durchführung der Erwählung Israels in der Geschichte Jesu Christi und darin die Zuordnung der Völkerwelt zur Erwählung Israels?

Im Sinne des Partizipationsmodells sagt Eichholz: «Die Kirche kann nur auf das gleiche Erbarmen Gottes hoffen, in dem Israels Ursprung und Hoffnung beschlossen ist» (288). Und von da her folgert er richtig: Die junge Kirche von Rom muß und kann «sich selbst nur als Exempel der reinen Gnade Gottes verstehen» (299). Die Heidenchristen können sich selber nur als Exempel der freien und barmherzigen Gnade im Empfang der iustificatio impii verstehen, die in ihrem Ursprung und als Israels Hoffnung eben Israel zugewandt war. Die Rechtfertigung als iustificatio impii wäre so die geschichtliche Projektion der partikular-universalen Erwählung Israels auf die Heiden und darin die Hinzuberufung der Heiden zu Israel. Die Kirche kann an Israel nur ihren eigenen Ursprung in der puren Gnade Gottes erkennen, sonst «weiß (die Kirche) nicht mehr um ihren eigenen Ursprung, verkennt sie ihre gnadenhafte Existenz, die sie im Spiegel der Geschichte Israels zu begreifen angeleitet wird» (Paulus 292).

3. Barths Israellehre in der Spannung zwischen dem christologischen Partizipationsmodell und dem ekklesiologischen Integrationsmodell

a) Akzente der Israel-Exegese K. Barths zu Römer 9–11

K. Barths These, die er in der Exegese von Kapitel 9 entfaltet, lautet: Das schismatische Handeln Gottes in der Geschichte Israels ist nicht etwa die Infragestellung, sondern der Vollzug der Treue Gottes zu Israel im Erweis seiner barmherzigen Freiheit und seiner freien Barmherzigkeit. Das schismatische Handeln Jahwes in Israel ist also nicht das Fallenlassen, sondern der Vollzug der Treue Jahwes zu Israel, sofern die unterschiedliche Gestalt des doppelfigürlichen Handelns Gottes der Vollzug des einen Willens Gottes ist, sofern also das schismatische Handeln Gottes zugleich und intentional ein teleologisches Handeln ist, das dem Erweis seiner Barmherzigkeit dient. Insofern fällt in der Exegese Barths von Kp. 9 der Akzent nicht so sehr auf das schismatische Handeln Gottes als solches, sondern auf die Aussage der Verse 9,22ff., die – als Anakoluth – die Teleologie, die Zielgerichtetheit des schismatischen Handelns Gottes akzentuieren: «Wie wenn aber Gott, entgegen seiner ursprünglichen Absicht, an den zum Untergang bestimmten Gefäßen seinen Zorn zu erweisen und seine Macht kundzutun, diese in großer Langmut getragen hat und zwar mit der Absicht, den Reichtum seiner Herrlichkeit an den Gefäßen des Erbarmens kundzutun, die er zur Herrlichkeit zuvor bereitet hat – als welche er auch uns berufen hat, nicht nur aus den Juden, sondern auch aus der Völkerwelt ...» (9,22–24).

Karl Barth hat den Sachverhalt so umschrieben: «Spricht er (Gott) zur Rechten Ja, so tut er das um seiner selbst willen ... Spricht er zur Linken Nein, so tut er das um seines zur Rechten zu sprechenden Ja willen ... Was zwischen den beiden Seiten des einen göttlichen Tuns stattfindet, ist, unbeschadet des göttlichen Ernstes nach beiden Seiten, höchste Inkongruenz, höchste Asymmetrie» (KD II/2, 246). In diesen Zusammenhang gehört auch der Hinweis Karl Barths, daß jeweils beide Figuren, die sich im Gegenüber zueinander befinden, miteinander «im gleichen Bereich» (a.a.O. 243) bleiben. Daß Gottes Handeln primär das teleologische Handeln seiner Gnade ist und daß deshalb die beiden Linien nicht gleichgewichtig sind, ist die Grundthese Barths in Römer 9.

Der besondere Akzent der Interpretation Barths (wie schon bei der christologischen Exegese von Röm. 9,1–5, a.a.O. 224f.) ist aber nicht nur im Hinweis auf das schismatisch-teleologische (!) Handeln Jahwes in Israel als das eine Handeln des freien und barmherzigen Gottes in seiner unterschiedenen Gestalt, sondern in der christologischen Begründung für das schismatische Handeln Jahwes in Israel ante Christum natum zu sehen. Barth sagt, daß es «im Bereich der Geschichte und des Lebens Israels darum immer wieder zu solcher Scheidung kommen muß, weil seine Geschichte nun einmal die Geschichte der Erwartung seines gekreuzigten Messias und zugleich die Vorgeschichte (!) der Kirche des auferstandenen Herrn ist» (244). Barth will damit sagen, daß der gekreuzigte Messias Israels, der zugleich der auferweckte Kyrios der Kirche ist, dieses Schisma in Israel selber in sich getragen hat, daß er der eigentliche Grund und Gegenstand des schismatischen Handelns Gottes in Israel ist, daß also die unterschiedene Gestalt des einen Erwählungshandelns Gottes in Israel und die Teleologie dieses Handelns nur und ausschließlich in der Geschichte des Kreuzes und der Auferweckung abgelesen werden können.

Paulus wendet sich, wie G. Eichholz in seinem Israelkapitel erläutert, in diesem Anakoluth «dem Problem der Doppelfigurigkeit» erneut zu. Nach der Darstellung des Handelns Gottes an Isaak und Ismael, an Jakob und Esau «in untrennbarer Verknüpfung» und nach der erneuten Darstellung dieser Verknüpfung am Beispiel des Mose und Pharao, ist das Problem der Doppelfigürlichkeit – wie Eichholz sagt – «trotz einiger Ansätze noch nicht gelöst» (Theologie des Paulus im Umriß 295). Und mit Verweis auf Karl Barths in KD, II 2,246–249 vorgetragenes finales Verständnis der Doppelfigürlichkeit heißt es bei Eichholz: «Aber in dem Anakoluth von 9,22–24 wagt sich Paulus weit vor. Er antwortet auf die Frage: Wie verhält sich Gottes Handeln zur Rechten zu dem zur Linken ...? Offenbar ist der finale Akzent von 9,23 der Schlüssel zum Verständnis» (295).

Unbeschadet dieser wichtigen Akzente muß freilich schon an Barths Exegese von Römer 9 die Frage gestellt werden, ob sie die Christologie oder ob sie die Kirche in ihrem Gegenüber zur Synagoge faktisch zum Bezugspunkt der paulinischen Aussagen macht. Geht es Paulus um den Aufweis der Teleologie des schismatischen Erwählungshandelns in und an Israel, wobei die Heiden in die Erwählung Israels aufgenommen und also hinzuberufen und also in den Zusammenhang des schismatisch-teleologischen Handelns Jahwes in Israel aus Treue gegenüber der Erwählung Israels aufgenommen werden, so heißt es bei Barth: Die Kirche «ist das Ziel und also der Grund (!) der Erwählung schon des Volkes Israel» (233). «Und nun zielt Gott darauf, daß Israel seiner Erwählung gehorsam werde, daß es in die Kirche eingehe» (228). «Als ob es noch eine besondere Bestimmung und Zukunft neben und außerhalb der Kirche hätte» (229)! Barths Tendenz, nicht auf die christologisch-eschatologische und von daher israelitische Dependenz und Partizipation der Heiden, sondern auf die ekklesiologische Integration der Synagoge hin zu interpretieren, macht sich schon hier bemerkbar. «Israel ist an sich und als solches das ‹Gefäß zur Unehre›. Es ist der Zeuge des göttlichen Gerichtes ... die Kirche (ist) ... das ‹Gefäß zur

Ehre›, der Zeuge des göttlichen Erbarmens» (247). Israel ist «mit seiner Verkündigung des göttlichen Nein zum Eingang in die Kirche bestimmt» (ebd.).

Entgegen der generellen Tendenz in der Exegese, Kap. 9,30–10,21 israelkritisch auszulegen und also den Abschnitt von der Schuld Israels handeln zu lassen (E. Käsemann), geht es Barth um eine kirchenkritische Exegese von Kapitel 10. Was Paulus hier sagt, ist «gerade und zuerst für den Juden» (274) gesagt. So geht es also Paulus in Kapitel 10 nicht primär israelkritisch um die Schuld Israels, sondern kirchenkritisch um das Rätsel des noch mehrheitlich nicht glaubenden Israel, verhandelt also Paulus «das angesichts seines Hören- und Verstehenkönnens unbegreifliche Nicht-Gehorchen Israels» (285). So dient also das Kapitel – was Barth richtig sieht – primär dem Aufweis des Rätsels des Noch-nicht-Glaubens Israels angesichts der Voraussetzungen, die gerade für Israel bleibend in Geltung stehen: angesichts

a) der messianologischen Voraussetzung: Christus ist der Rettungsfelsen in Zion (9,33) –
b) der thoratheologischen Voraussetzungen: Christus ist der Erfüller der Thora zur Gerechtigkeit und als solcher der Repräsentant der Gerechtigkeit Gottes (10,4) –
c) der offenbarungstheologischen Voraussetzungen: der Christus Israels ist das nahe Wort; die Prophetie Jesu Christi ist das Israel nahe, von ihm gehörte prophetische Selbstwort Jesu Christi als der Verheißung in Person, von dem Dtn 30 spricht (10,6ff.) –
d) der kerygmatischen Voraussetzungen: das in der Sendung durch den Messias Israels begründete apostolische Kerygma (10,14ff.) –
e) der eschatologischen Voraussetzungen: die Anrufung des Messias Israels als des kommenden Retters und des kyrios pantoon gerade und zuerst für Israel (10,9ff.) –
f) der anthropologischen Voraussetzungen: das Hörenkönnen, das faktische Gehörthaben der messianischen Verheißung und die umfassende Verständlichkeit der gehörten Verheißung sogar für die Völkerwelt – wie erst recht für Israel (10,16ff.).

Mit anderen Worten: Die messianische Geschichte Jesu Christi als des Messias Israels, als der Gerechtigkeit Gottes für Israel, als des die apostolische Sendung begründenden nahen Wortes und als des für alle (und so bleibend für Israel) anrufbaren Namens Gottes macht – so will Paulus in Kapitel 10 sagen – die Gültigkeit der Verheißung für Israel deutlich, macht aber zugleich das Noch-nicht-Glauben Israels in der Gestalt der Synagoge zu einem schlechthinnigen Rätsel. Dieses Rätsel kann von der Seite der Heidenchristen unter der Berücksichtigung der umfassenden messianischen Erfüllungsgeschichte in Jesus Christus nur als das Rätsel des Noch-nicht-Glaubens Israels verstanden werden, dem infolgedessen über das Faktische hinaus keinerlei heilsgeschichtliche Notwendigkeit zukommen kann. Dies meint der kirchenkritische Akzent in der Argumentation des Paulus und dies schließt eine gängige israelkritische Exegese des Kapitels gerade aus.

Kapitel 11 geht es Paulus um den Aufweis der eschatologischen Rettung und Annahme von ganz Israel – also um die Teleologie des schismatischen Erwählungshandelns Gottes auf dem mittelbaren Weg der universalen Sendung an die Völker. Im Unterschied zur paulinischen Betonung der bleibenden Gültigkeit der Erwählung und Wiederannahme von ganz Israel (G. Eichholz) exegesiert Barth Röm. 11,25f. im Sinne des ekklesiologischen Integrationsmodells: «‹Ganz Israel› ist die Gemeinde der in und mit Jesus Christus von Gott Erwählten aus den Juden und aus den Heiden, die ganze Kirche (!), ... in der Gesamtheit gebildet aus dem in und mit Jesus Christus den ursprünglichen Stamm fortsetzenden Rest, aus den hinzugekommenen ... Heiden und aus den endlich und zuletzt wieder einzupfropfenden ... Zweigen» (330), nämlich aus den Juden. So ist «die Zukunft der Synagoge in der Kirche» (331).

Dieser Bestimmung in den Kategorien des ekklesiologischen Integrationsmodells möchte ich – formuliert mit den Kategorien des christologisch-eschatologischen Partizipationsmodells – die exegetische These entgegenstellen: Die Erfüllung der Erwählungszusage gegenüber dem Volk Israel geschieht – so will Paulus sagen – auf dem Umweg über die Völkersendung als messianische Wegbereitung, die aber als solche im Rahmen der messianischen Eschatologie Israels bleibt und deren Abschluß (die eschatologische Vollzahl der Heiden) mit der eschatologischen Restitution von ganz Israel koinzidiert, was den Lobpreis des in seiner Freiheit barmherzigen und in seiner barmherzigen Freiheit erwählenden und seiner Erwählung in Gericht und Erbarmen treuen Gottes zur Folge hat.

In Kapitel 11 geht es also 1. nicht (wie Barth in II/2, 330f. meint) um das Rätsel des jetzigen Verhältnisses der Kirche aus Juden und Heiden zu der den Großteil Israels repräsentierenden Synagoge, sondern um das Rätsel des Gegenübers von judenchristlichem Rest-Israel (11,1–6) und synagogalem Mehrheits-Israel (11,7–10), wobei das Rätsel von Paulus so beantwortet wird, daß
a) die Verweigerung der synagogalen Mehrheit Israels den eschatologischen Prozeß der Völkersendung eröffnet und ermöglicht und dieser im Gange befindliche Prozeß messianischer Wegbereitung die Funktion hat, die Synagoge aufmerken zu lassen (11,11f.) –
b) dieser mit dem Eingehen der Vollzahl der Heiden in der Zukunft abgeschlossene Prozeß die Rettung von ganz Israel (d.h. die Vollendung und Einigung von Rest-Israel und synagogalem Mehrheits-Israel) bedeuten wird (11,25ff.), wobei die mit dem Eingehen des Vollmaßes der Heiden erwartete Rettung von ganz Israel – aufgrund des Kommens des Retters aus Zion – mit dem Eintreffen der Weltenwende, dem Le-

ben aus den Toten und der Parusie des Messias Israels verbunden sein bzw. diese auslösen wird (11,15; 11,26).

In Kapitel 11 geht es 2. nicht um die Beschreibung «der Hoffnung der Kirche», in der «Israel ... seine eigene Hoffnung» (332) hat, sondern um die Hoffnung Israels, das in dem gegenwärtigen Rätsel des Gegenübers von judenchristlichem Rest-Israel und synagogalem Mehrheits-Israel seiner Zukunft in seinem Messias als dem Repräsentanten des rettenden Namens Jahwes allererst noch entgegengeht.

Mit anderen Worten: Was für Paulus nur eine erste Etappe im Rahmen des schismatisch-teleologischen Handelns Gottes in und mit Israel ist – nämlich das Gegenüber von synagogalem Mehrheits-Israel und der Ekklesia aus Juden und Heiden – was also für Paulus nur eine erste Etappe auf dem Weg zur Völkerwallfahrt der Heiden und zur eschatologischen Restitution von ganz Israel ist, das wird von Barth auf den Zusammenhang von Kreuz und Auferweckung hin analogisiert und so systematisierend festgeschrieben. Damit wird aber eine Etappe (nämlich Röm. 9,23f.) innerhalb der in Römer 9–11 beschriebenen Teleologie zum Rahmen des ganzen in Römer 9–11 angesagten eschatologischen Geschehens: letzteres zielt nämlich auf das Eingehen der Vollzahl der Völkerwelt mit dem Ziel der eschatologischen Wiederherstellung ganz Israels.

In Barths Exegese wird damit die Geschichte Israels zu einer Etappe und zu einem Moment im Rahmen der Geschichte der Kirche (Barth spricht vom Aufgehen und von der Zukunft der Synagoge in der Kirche), während für Paulus umgekehrt – von der Erfüllung und Verheißung im Christus Jesus her – die «Ekklesia» aus Juden und Heiden und die universale Sendung an die Völkerwelt eine Etappe und ein Moment im Rahmen und zum Ziel der Durchführung der Erwählung Israels ist. Die Ekklesia aus Juden und Heiden (Röm. 9,24) und die Sendung an die Völkerwelt ist in der Exegese Barths nicht mehr (wie noch in Römer 9–11) nur eine Etappe innerhalb der Erwählung und Eschatologie Israels, sondern Israels Eschatologie und Zukunft wird als das Aufgehen Israels in der Kirche beschrieben. Deshalb wird nicht mit Barth gesagt werden können: Die Kirche aus Juden und Heiden ist die offenbarte Bestimmung Israels (vgl. II/2, 219, 331). Sondern es muß – von Römer 9–11 her! – gesagt werden: Die Zukunft Israels (Röm. 11,25f.) ist zugleich die offenbarte Bestimmung der Ekklesia aus Juden und Heiden. Die Zukunft Israels ist somit nicht im Kontext der Ekklesia beschreibbar (Integrationsmodell), sondern die Ekklesia und die Völkersendung steht im Kontext der in Jesus Christus begründeten, bestätigten und festgemachten Erwählung und Eschatologie Israels.

Bleibt Barth entgegen seiner grundsätzlichen systematischen Orientierung am christologisch-eschatologischen Partizipationsmodell in seiner Exegese von Römer 9–11 doch streckenweise und unübersehbar dem traditionellen Integrationsmodell verhaftet, so mag aus dieser Spannung heraus der merkwürdige und in sich widersprüchliche Sachverhalt erklärbarer werden, warum Barth auf der einen Seite den Dialog mit der Synagoge bejahen (Briefwechsel mit Schoeps), praktizieren (Dialog mit Petuchowski 1962 in Chicago) und auch ökumenisch fordern konnte («die ökumenische Bewegung von heute leidet schwerer unter der Abwesenheit Israels, als unter der Roms und Moskaus!»: KD IV,3 1007) und warum er auf der anderen Seite doch seine persönliche (Briefe 1961–1968 Hg v J. Fangmeier und H. Stoevesandt 1975, 421) und seine sachliche Skepsis gegenüber dem jüdisch-christlichen Dialog in der Frage zum Ausdruck bringen konnte: «Und was sollen dann auf die Länge auch alle Gespräche?» (KD IV, 3, 1006). Diese Spannung in Barths Israellehre zwischen seiner grundsätzlichen Orientierung am christologischen Partizipationsmodell und seinem faktischen Verhaftetbleiben an dem ekklesiologischen Integrationsmodell wird sachgemäß nur als eine Spannung im Widerspruch zu Barths eigenem christologischen Ansatz zu verstehen und zu würdigen sein.

b) Die systematischen Voraussetzungen der Israel-Exegese Barths in KD II/2, § 34

Welches sind die systematischen Voraussetzungen der Israel-Exegese Barths von Röm. 9–11, wie sie in dem Schwanken der Aussagen Barths zwischen dem christologisch-eschatologischen Partizipationsmodell einerseits und dem traditionellen ekklesiologischen Integrationsmodell andererseits bereits indirekt sichtbar geworden sind, wie sie aber nun noch eigens explizit gemacht werden müssen?

Ich nenne folgende Punkte:

1. Die Zuordnung und Verhältnisbestimmung von Israel und Kirche ist von Barth nach der Dialektik von Gesetz und Evangelium entworfen, die ohne das Verhältnis von Kreuz und Auferweckung, die Relation von promissio und fides und die eschatologische Progressus-Relation «peccator in re – iustus in spe» nicht verstanden werden kann, insofern sie in das Umfeld dieser Verhältnisbestimmungen gehört. Von daher lassen sich die einzelnen Abschnitte des § 34 in ihrer Sequenz bestimmen. Ich muß mich in diesem Rahmen auf folgende Zusammenfassungen beschränken:

a) § 34,1 behandelt Barth das Verhältnis von «Israel und Kirche», indem er auf den Zusammenhang von Kreuz und Auferweckung und also auf die christologische Doppelthese rekurriert: Der gekreuzigte Messias Israels ist der auferstandene Herr der Kirche. Von daher meint Barth, Israel dem Kreuz des Messias, die Kirche dem auferweckten Kyrios zuordnen zu sollen. Die Frage taucht sofort auf: Ist nicht der gekreuzigte Messias Israels zugleich der auferweckte Messias Israels und erst von daher auch der gekreuzigte Versöhner der Welt und der auferweckte Kyrios der Kirche?

b) § 34,2 spricht Barth vom Vollzug des Gerichtes Gottes im Kreuz und vom Vollzug des Erbarmens Gottes in der Auferweckung und bestimmt von daher die Verhältnisbestimmung Israels zur Kirche als Verhältnis des Nein im Dienste des Ja. Israel ist zur Bezeugung des Gerichtes, die Kirche zur Bezeugung des Erbarmens, Israel zur Bezeugung des Gerichtes als Unterton der kirchlichen Bezeugung des Erbarmens bestimmt. Die Konstruktion dieses Verhältnisses der Subsumtion und Teleologie nach der Dialektik von Gesetz und Evangelium leuchtet unmittelbar ein. Auf sie wird sogleich zurückzukommen sein.

c) § 34,3 handelt Barth von der «gehörten und geglaubten Verheißung Gottes». Barth bestimmt den besonderen Dienst Israels im Hören und Empfangen der Verheißung: «Israel ist Hörer der Verheißung» im Tenak – Barth zufolge die Bedingung der Möglichkeit des Dialogs mit der Synagoge. Die Bestimmung der Kirche sieht Barth im Glauben an die gehörte Verheißung gegeben. In reformatorischen Kategorien ausgedrückt: die Israel geltende promissio findet ihr Ziel in der fides der Kirche. Sind promissio und fides relativ, so Israel und die Kirche auch. Die Frage taucht sofort auf, ob die nach Barth auch von der Synagoge und dem Judentum post Christum resuscitatum gehörte Verheißung nicht sachlich richtiger – anstatt dem Kreuz – der Prophetie des Auferstandenen, also Jesus Christus als dem Wort und Licht der Welt zugeordnet werden müßte. Israel müßte also im Empfangen und Hören der Verheißung eine – wenn auch indirekte, so aber doch – positive Bestimmung und Qualifizierung von der Auferweckung Jesu her zugesprochen werden, wie Fr. W. Marquardt mit Recht und mit Nachdruck herausgearbeitet hat. Barths Schwierigkeit, die gehörte Verheißung in § 34,3 sachlich mit dem Kreuz in Verbindung zu bringen, mag dies indirekt bestätigen.

Das von Barth so akzentuierte Faktum des Empfangens und Hörens der der Synagoge im Tenak gegebenen Verheißung müßte als indirekte Bezeugung der Prophetie Jesu Christi verstanden werden, nicht zuletzt auch im Hinblick auf den bereits kurz angesprochenen Sachverhalt, daß Barth in KD IV, 3 die Geschichte Israels als Präfiguration der Prophetie Jesu Christi in Anspruch nehmen kann und will. Ganz in diesem Sinne heißt es in dem Text eines im Jahre 1954 in Barths Seminar unter der Überschrift «Die Hoffnung Israels» (gemeint ist das Judentum post Christum resuscitatum) erarbeiteten Ergänzungsvorschlags zu der damaligen Erklärung des Ökumenischen Rates der Kirchen zum Thema «Christus – die Hoffnung der Welt»: «Wir haben zuerst von dem Volk zu reden, das sich in seiner Hoffnung auf denselben Gegenstand gründet, der auch Grund unserer Hoffnung ist, nämlich auf das Kommen des Messias ... Sie (diese Hoffnung) gründet sich nämlich auf die Verheißungen Gottes, die er seinem auserwählten Volk gegeben hat ... Wenn überhaupt von einer Gemeinschaft behauptet werden kann, daß sie von Hoffnung lebt, so ist das gerade und zuerst vom Judentum zu sagen. Israel ist das Volk der Hoffnung». Erst hier, also 12 Jahre später, hat Barth die positiven Konsequenzen seines schon 1942 formulierten Satzes «Israel ist Hörer der Verheißung» (KD II, 2 § 34,3) gezogen. Darauf wird zurückzukommen sein.

d) § 34,4 handelt von «dem vergehenden und kommenden Menschen». Kommt man von dem Kapitel Römer 11 her, so erwartet man angesichts der von Paulus für ganz Israel verheißenen Annahme durch das Kommen des Retters Israels aus Zion und angesichts der Hoffnung auf die Restitution von ganz Israel (Röm. 11,25f.), daß Barth Israel dem kommenden Menschen zuordnen wird. Die Erwartung wird nicht erfüllt. Vielmehr argumentiert Barth – orientiert an der Relation von Gesetz und Evangelium – im Rahmen des reformatorischen Progressus – Verständnisses: Der homo simul iustus et peccator im Sinne der Transgressus-Linie ist zugleich der peccator in re und der iustus in spe im Sinne der Progressus-Linie. Von daher wird Israel – dem Gefälle und der Verheißung von Römer 9–11 zuwiderlaufend – zur Darstellung und Bezeugung des vergehenden, die Kirche zur Darstellung und Bezeugung des kommenden Menschen bestimmt. Hat der vergehende Mensch seine Bestimmung im kommenden Menschen, so hat Israel seine Bestimmung in der Kirche: die Zukunft der Synagoge ist die Kirche.

2. Ich sagte: Der Zusammenhang von Gesetz und Evangelium bildet für Barth die Kategorie der Zuordnung von Israel und der Kirche, demzufolge Israel als Darstellung des Gerichtes, die Kirche als Zeuge des Erbarmens Gottes verstanden werden muß. Ich versuche diese These exemplarisch an einer Aufschlüsselung der systematischen Rahmensätze des § 34,2: «Das Gericht und das Erbarmen Gottes» zu verifizieren, indem ich zunächst sechs Sätze zur Verhältnisbestimmung von Gesetz und Evangelium im Sinne Barths formuliere:

1. Die Unterscheidung von Gesetz und Evangelium ist Reflex der christologischen Unterscheidung von Kreuz und Auferweckung, Gericht und Erbarmen (226).
2. Der Inhalt des Gesetzes ist die Bezeugung dessen, was Gott für sich im Kreuz Christi wählt. Der Inhalt des Evangeliums ist die Bezeugung dessen, was Gott für den Menschen wählt (227f.).
3. Die Finalität des Gesetzes auf das Evangelium hin ist die Wahrheitsbestimmung des Gesetzes (228f.).
4. Die Wahrnehmung der Finalität des Gesetzes auf das Evangelium hin würde das besondere Zeugnis des Gesetzes zum Unterton des Zeugnisses vom Evangelium machen (229).
5. Die Abstraktion des Gesetzes vom Evangelium bedeutet die Haltung der praesumptio im Sinne der religiösen Selbstbehauptung, wobei doch die Abstraktion des Gesetzes vom Evangelium im Bereich des Evangeliums bleibt (231) und nicht etwa zum Ausschluß aus dem Bereich des Evangeliums und der Erwählung führt, sondern zur widerwilligen Bezeugung des Gerichtes werden muß, zur indirekten Bezeugung im Unterschied zur direkten Bezeugung durch das Evangelium (vgl. Barths

Schrift «Evangelium und Gesetz» derzufolge es das abstrakte Gesetz ist, das mit der Kraft des Zornes Gottes doch Gottes Gesetz ist und bleibt!).
6. Aber indem auch die Abstraktion des Gesetzes Gottes Gesetz bleibt, wird das Gesetz im Geschehen von Gericht und Rechtfertigung im Kreuz als das Gebot, das die Form des Evangeliums ist, wiederhergestellt.

Wendet man die soeben entwickelte Verhältnisbestimmung von Gesetz und Evangelium auf die Verhältnisbestimmung von Israel und Kirche an, so ergeben sich entsprechend folgende sechs für die Israellehre Barths konstitutive Sätze:

1. Die israelitische Gestalt der einen Gemeinde verhält sich zur kirchlichen Gestalt der einen Gemeinde wie Jesu Kreuzigung zu Jesu Auferweckung, wie Gottes Gericht im Kreuz Christi zu Gottes Erbarmen in der Auferweckung Jesu Christi (226f.).

2. Der Inhalt des besonderen Dienstes Israels ist die Darstellung und der Spiegel des im Kreuz ergangenen Gerichtes, dem Gott den Menschen entrissen hat. Die israelitische Gestalt der Gemeinde macht dabei sichtbar, was Gott im Kreuz für sich erwählt hat, indem er in Jesus Christus den Menschen für sich erwählt hat (227f.). Weil Israels gekreuzigter Messias das vollzogene Gericht ist, kann Israel nur als die Darstellung und Bezeugung des Gerichtes verstanden werden.

3. Israel würde der Finalität und Teleologie seiner Darstellung des Gerichtes und damit seiner Erwählung entsprechen, wenn «es in die Kirche eingehe(n)» (228) würde, wenn «sein besonderes Zeugnis von Gottes Gericht zum Unterton des Zeugnisses der Kirche von Gottes Erbarmen ... würde. Sein Zeugnis würde als *Erinnerung* an den *geschlichteten Streit*, an die *zerrissene* Anklage, an die *vergebene* Sünde der Botschaft von der geschehenen Versöhnung der Welt mit Gott kritisches Salz verleihen» (229).

4. Die Wahrnehmung der Finalität Israels auf die Kirche hin würde das besondere Zeugnis Israels zum Unterton des Zeugnisses vom Evangelium machen. «Denn würde Israel seiner Erwählung gehorsam werden, dann würde diese seine Stellungnahme sofort dies bedeuten, daß sein besonderes Zeugnis von Gottes Gericht zum Unterton des Zeugnisses der Kirche von Gottes Erbarmen ... würde» (229).

5. Die faktische Perversion der besonderen Erwählung Israels zur Darstellung des Gerichtes besteht darin, daß Israel seiner besonderen Erwählung angesichts der erfüllten Verheißung in Jesus Christus im Gehorsam nicht entspricht. Als ob die Synagoge »noch eine besondere Bestimmung und Zukunft neben und außerhalb der Kirche hätte» (229)! Die Abstraktion der Synagoge von ihrer Zukunft in der Kirche hat zur Folge, daß jene «nun dem Zeugnis der Kirche gegenüber nur das nackte, blanke Gericht Gottes darstellen» muß (230). Die Synagoge «muß nun dem Zeugnis der Kirche gegenüber die der Sünde folgende menschliche

Not: des Menschen Schranke und Leid, sein Vergehen und den Tod, dem er verfallen ist, in der Abstraktion (!) exemplarisch darstellen und verkörpern» (289).

6. Der Ungehorsam der Synagoge gegenüber der Finalität und Teleologie Israels in der Kirche ändert aber nichts an der notwendigen Darstellung des Gerichts durch Israel. «Indem sie (die Juden des Ghetto) der Welt außer dem auf ihnen liegenden Schatten des Kreuzes Jesu Christi nichts (!) zu bezeugen haben, müssen faktisch doch auch sie Jesus Christus selber bezeugen» (230) und damit trotz ihres Ungehorsams ihre Erwählung in Jesus Christus bestätigen, bleiben sie auch in ihrer abstrakten Darstellung des Gerichtes im Raum der in Jesus Christus begründeten Erwählung Israels (231f.).

Der Dienst der Kirche als die Bezeugung des Ja des göttlichen Erbarmens, als die Bezeugung dessen, was Gott für den Menschen gewählt hat, ist im Unterschied zum besonderen Dienst Israels «kein besonderer Dienst» (232). «Die Kirche ist der Träger der positiven Botschaft Gottes an die Welt, in die die negative (Israels) eingeschlossen – notwendig, aber doch nur untergeordnet eingeschlossen ist» (233). Inexistiert post Christum resuscitatum Israel in der Kirche, so präexistiert ante Christum natum die Kirche in Israel, was die grundsätzliche Bestimmung Israels, Spiegel des göttlichen Gerichtes zu sein, nicht aufhebt. Das verborgene Ja ist dabei Hinweis und Zeugnis vom rettenden und durch die Liebe Gottes begrenzten Feuer seines Zornes (234f.). «Abrahams Nachkommen sind zweifellos als solche das erwählte Volk Gottes mit der seiner Erwählung entsprechenden Bestimmung zum Spiegel des göttlichen Gerichtes, das seinerseits die Hülle des göttlichen Erbarmens (!) ist» (236).

c) Fragen an die Israellehre Karl Barths

Angesichts des dargestellten Tatbestandes bei Barth ist sofort eine Frage zu stellen und eine Folgerung zu ziehen:

Entscheidet – wie in der theologischen Tradition, so auch bei Barth – die Zuordnung von Gesetz und Evangelium über die Verhältnisbestimmung von Israel und Kirche, so wird gerade im Hinblick auf Barth gefragt werden können, inwieweit die von ihm bereits in seiner Schrift «Evangelium und Gesetz» vorgenommene Vorordnung des Evangeliums vor das Gesetz auch die Zuordnung von Israel und Kirche zu bestimmen hätte. Denn eine Verteilung der Funktionen in der Weise, daß Israel nur das richtende und vergeltende Gesetz und die Kirche nur das freisprechende Evangelium darzustellen hätten, würde ein abstraktes Nacheinander von Gesetz und Evangelium zur Grundlage der Israellehre machen, wie es in der Tradition der Kirche immer wieder geschehen ist: Israel repräsentiert das Gericht, die Kirche die Gnade! Die Frage an Barth wird lauten: Inwiefern ist das Nacheinander von Gesetz und Evangelium für Barths Israellehre bestimmend und inwiefern wird dieses Nacheinander durch die von Barth selber reklamierte Vorordnung des Evangeliums vor das Gebot anders bestimmt bzw. begrenzt, insofern die Vorordnung des Evangeliums vor das Gebot nach Barths eigenen Bestimmungen der Rahmen und das Kriterium für das Nacheinander von Gesetz und Evangelium ist (vgl. dazu meine Arbeit: Promissio und Bund. Gesetz und Evangelium bei Luther und Barth 1976).

Ist es zufällig, daß Barth im Unterschied zu seiner programmatischen Schrift «Evangelium und Gesetz» in KD II, 2 nicht mehr ausführt, inwiefern sich das Wahrheitsverhältnis von Israel und Kirche (die Restitution von Ganz-Israel und die Völkerwallfahrt zum Zion) gegenüber dem Wirklichkeitsverhältnis (das Gegenüber von Synagoge und Kirche) durchsetzt und ins Recht setzt?

Ich folgere daraus: Indem Barth die Einheit der Gemeinde in ihrer Verschiedenheit aus Israel und der Kirche nach der Zuordnung und Unterscheidung von Gesetz und Evangelium bestimmt, nähert er sich – wie die Tradition vor ihm – dem ekklesiologischen Integrationsmodell, insofern den Judenchristen eine besondere, untergeordnete Funktion (die Bezeugung des Gerichtes und des Nein im Dienste des Ja) als Unterton und Hilfsdienst zukommt. Kann Israel in seiner synagogalen Gestalt die Darstellung des Gerichtes nur unfreiwillig vollziehen, insofern «es als Zeuge des göttlichen Gerichtes dienen muß», so kann Israel «zu seinem Heil ... nur leben, indem sein besonderes Zeugnis von Gottes Gericht zum Unterton des Zeugnisses der Kirche wird: des Zeugnisses von Gottes Erbarmen» (232). Über das traditionelle Integrationsmodell hinaus bleibt aber – Barths Lehre von Evangelium und Gesetz entsprechend – auch die das abstrakte Gesetz repräsentierende und das Gericht darstellende Synagoge im Bereich der Erwählung, wird also auch ihr weiterhin als Zukunft das Aufgehen in der Kirche verheißen (330f.). Das heilsgeschichtliche Integrationsmodell ist hier bei Barth also eschatologisch gewendet, aber als Integrationsmodell grundsätzlich nicht aufgehoben.

Ich komme deshalb zu der folgenden Charakteristik: Insofern die Ekklesia aus Juden und Heiden als die vollkommene Gestalt der Gemeinde Kreuz und Auferweckung und d.h. für Barth das Gericht als eingeschlossen in das Erbarmen Gottes verkündigt, kann – so sieht es Barth leider – die Zukunft der Synagoge und des Volkes Israel nur im Aufgehen bzw. «Eingehen» der Synagoge in die Kirche bestehen (330f.), kommt also ganz Israel neben und außerhalb der Kirche keine Zukunft mehr zu, könnte von daher für Barth die Synagoge nur als uneigentlicher Dialogpartner in den Blick kommen. Ist die Synagoge doch in der Gegenwart post Christum crucifixum nur ein abstrakter, wiederwilliger Zeuge des Gerichtes im Kreuz und ist doch die Zukunft der Synagoge nur als ein Eingehen oder Aufgehen in die Kirche zu bestimmen. «Israel (die Synagoge, das Judentum) lebt, indem es diesen Schritt (von der gehörten zur geglaubten Verheißung) vollzieht, ... indem es selbst in der Kirche auflebt, wie sein gekreuzigter Messias in seiner Auferstehung auflebt als der Herr der Kirche» (262).

Ich meine bei Barth verstanden zu haben, daß die Zukunft Israels nur als Implikat des Erbarmens Gottes über das sich seinem Messias noch verweigernde Israel verstanden werden kann. Ich habe verstanden, daß die Zukunft Israels ohne den Bruch in Kreuz und Auferweckung, ohne die iustificatio impii als resurrectio mortuorum nicht verstanden werden kann. Ich habe verstanden, daß der Bruch, wie er durch den Gekreuzigten repräsentiert ist, im Rahmen einer einfachen Kontinuität nicht gewürdigt, sondern im Rahmen einer sich einlinig durchhaltenden Kontinuität des Bundes nur nivelliert werden kann. Ich habe also verstanden, daß die Kontinuität des Bundes und der Erwählung nur im Ereignis des Kreuzes und der Auferweckung erkannt werden kann, daß also der Bund Gottes mit Israel und also die Erwählung Israels in der Geschichte Jesu Christi von Kreuz und Auferweckung die Bestimmtheit und konkrete Gestalt der iustificatio impii als resurrectio mortuorum annimmt.

Ich verstehe aber nicht mehr, inwiefern von der Erfüllung des Bundes in dem Doppelereignis von Kreuz und Auferweckung und in der allein von Gott schöpferisch gestifteten Kontinuität der Person des auferweckten Gekreuzigten her die Hoffnung Israels nur als die Zukunft der Synagoge in der Kirche zu bestimmen ist. Ich verstehe nicht, inwiefern nicht gerade von der Auferweckung Jesu her im Sinne des Paulus Zukunft für Israel als Volk ausgesagt werden muß, weil es – wie Barth selber später formuliert hat – in der Erfüllung des Bundes in Jesus Christus zugleich um «die Einbeziehung der Welt in den Bereich des Handelns Gottes mit dem Volk (!) Israel» (IV/1,182) geht.

Ich meine also, daß in Barths Israellehre – in gewisser Spannung zu seinem christologischen Ansatz – noch sehr stark in den Kategorien des Integrationsmodells gedacht und geredet wird. Und ich meine zugleich, daß dies deshalb nicht dem eigentlichen Ansatz der Barthschen Christologie entsprechen kann: Spricht nämlich Barth explizit von der in der Geschichte Jesu Christi in Erfüllung der Sendung Israels an die Völker (Jes. 49,6; vgl. IV/1,28f.) erfolgten Einbeziehung der Welt in den Bereich der Eschatologie Israels (Partizipationsmodell), dann wird hier die von Barth sonst vorausgesetzte christologische Verhältnisbestimmung von Partikularität und Universalität sichtbar. In Barths letzter Vorlesung, «Einführung in die Evangelische Theologie» (1962), ist dieser fundamentale Sachverhalt der christologischen Einbeziehung der Welt in den Bereich des Handelns Gottes mit dem Volk Israel so formuliert: «Indem Israel auf Jesus Christus hin und indem Jesus Christus von Israel her ist, ergeht – universal (!) gerade in dieser Partikularität (!) – das Evangelium ... des von Gott aufgerichteten, erhaltenen, durchgeführten und vollendeten Gnaden- und Friedensbundes» (31). Grundsätzlicher formuliert: «Gegenstand der Theologie ist das partikular in dem einen Christus Israels Fleisch gewordene und eben in ihm als dem Heiland der Welt universal an alle Menschen gerichtete Gotteswort» (ebd.).

Der christologische Zusammenhang von Partikularität und Universalität, wie er in Barths Verständnis des im Christus Jesus erfüllten partikularen Bundes und der Erwählung Israels vorausgesetzt ist, ist für Barths christologisches Denken konstitutiv. Und dieser christologische Zusammenhang von Partikularität und Universalität, wie ihn Barth voraussetzt, widerspricht – wie Barth immer wieder betont hat – der religionshistorischen bzw. religionsphilosophischen Zuordnung des Besonderen zum Allgemeinen, wobei jene Zuordnung von Partikularität und Universalität dem von mir skizzierten christologischen Partizipationsmodell, die religionsgeschichtliche Zuordnung des Besonderen Israels zu einem Allgemeinen bzw. die Eliminierung der Besonderheit Israels im Rahmen eines Allgemeinen dem von mir skizzierten Integrations- bzw. Subsumtionsmodell entspricht.

Und ich frage mich gerade von diesem Zusammenhang von Partikularität und Universalität, also von Barths These von der in der Geschichte Jesu Christi erfolgten Einbeziehung der Welt in den Bereich des Handelns Gottes mit Israel (christologisches Partizipationsmodell) her, warum Barth so akzentuiert von dem Aufgehen der Synagoge in der Kirche (ekklesiologisches Integrationsmodell) und nicht zuerst von dem Eingehen der Heiden in die Erwählung Israels, also von der christologischen Partizipation der Kirche an der Verheißungsgeschichte Israels spricht. Völkersendung steht für Paulus im Rahmen der in Jesus Christus gegründeten und bestätigten Eschatologie Israels, weil die Verheißungsgeschichte des Volkes Israel ihren Bezugspunkt nicht in der Kirche, sondern in der Zukunft des Messias Israels hat, der als solcher auch der Herr der Völkerwelt ist.

Ich übersehe dabei nicht, daß es bei Barth deutliche Aussagen gibt, die in die Richtung des christologisch-eschatologischen Partizipationsmodells weisen, aber sie bestimmen Barths Israellehre nicht durchgängig so, wie man es von seinem systematischen Ansatz in der Erwählung Jesu Christi her erwarten müßte, wie man es nicht zuletzt auch von der Barthschen Verhältnisbestimmung von Evangelium und Gebot / Gesetz und Evangelium als systematischen Kategorien für die Zuordnung von Israel und Kirche erwarten sollte. Denn was für Barth in «Evangelium und Gesetz» entscheidend ist, daß sich die Wahrheitsbestimmung von Evangelium und Gebot gegenüber der Wirklichkeitsbestimmung von Gesetz und Evangelium durchsetzt, findet sich in der Israellehre Barths nicht wieder – nämlich daß sich das Wahrheitsverhältnis von Israel und Kirche (die Verheißung der Restitution von ganz Israel und die Völkerwallfahrt zum Zion, d. h. die Hinzuberufung der Heiden in die Bundesgeschichte Gottes mit Israel in Jesus Christus) gegenüber der geschichtlichen Wirklichkeit (der Verweigerung der Synagoge angesichts der messianischen Voraussetzungen und Verheißungen in der Geschichte Israels und der Geschichte Jesu Christi) durchsetzt, wie es Paulus in Röm. 11,25ff. als Mysterium ankündigt, – als apokalyptisches Mysterium, das die gültige Verheißung Gottes in der Geschichte Jesu Christi für Israel mit der faktischen Wirklichkeit der Synagoge in den Konflikt bringt und von daher die Verheißung für ganz Israel bestätigt.

Daß es bei Barth in der Tat deutliche und unübersehbare Aussagen in der Richtung des von ihm zugrundegelegten christologischen Partizipationsmodells gibt, können die folgenden Beispiele – die beliebig vermehrt werden können – nur exemplarisch verdeutlichen: «Paulus ... will gerade als Apostel der (Heiden-) Kirche nun erst recht ... Prophet Israels sein» (KD II/2,223). «Es ist nicht so, daß Israel zur Kirche, sondern es ist so, daß die Kirche zu Israel gekommen ist» (302). Die Kirche «wird verstehen und anerkennen, daß in und mit der Existenz jener Erwählten (gemeint sind die Judenchristen) die Erwählung von ganz Israel bestätigt ist; sie wird sich also ganz Israel ... verbunden und verpflichtet sehen. Mehr noch: sie wird es sich zur besonderen Ehre anrechnen, in der Person christlicher Israeliten lebendige Zeugen der Erwählung von ganz Israel in ihrer Mitte zu haben» (235). Die Gemeinde «wird sich aber auch der Erkenntnis, daß die Existenz jener Wenigen die Erwählung von ganz Israel und damit dessen Zugehörigkeit zur Gemeinde Gottes positiv bestätigt, nicht entziehen» (264). Sind die Heidenvölker «in allerletzter Stunde an der Erfüllung der Hoffnung Israels konkret beteiligt worden» (252), so wird die Gemeinde «sich damit die positive Bestätigung der Erwählung von ganz Israel zu Herzen nehmen und sie wird nicht umhin können, ihrerseits die Hoffnung für ganz Israel zu ihrer eigensten Sache zu machen» (294). Denn «in der Auferstehung Jesu Christi hat doch Gott ... den Schlußstrich der Verwerfung der Juden selbst durchgestrichen, indem er sich gegen den Willen Israels zu seinem Willen mit Israel, zu Israels Messias als zu dem Heiland der Welt, aber eben damit ... erst recht zu Israel bekannt hat» (320).

Ich komme damit zu der folgenden These: Entgegen dem eigentlichen christologischen Ansatz, demzufolge Barth selber in der Geschichte Jesu Christi als der Geschichte des erfüllten Bundes die Einbeziehung der Völkerwelt in den Bereich des Handelns Gottes mit dem Volk Israel sieht (KD IV, 1) und also das Verhältnis von Israel und Kirche primär in den Kategorien des christologischen Partizipationsmodells beschreiben müßte, handelt Barth in KD II/2, § 34 das Verhältnis von Israel und Kirche primär nicht unter dem systematisch grundlegenden Gesichtspunkt des in Kreuz und Auferweckung erfüllten Bundes mit Israel und darin auch der Völkerwelt, sondern wesentlich unter dem an dem Nacheinander von Kreuz und Auferweckung orientierten Verhältnis von «Gesetz und Evangelium», Gericht und Gnade ab, beschreibt also Barth das Verhältnis von Israel und Kirche primär in den Kategorien des ekklesiologischen Integrationsmodells. Das wiederum hat zur Folge, daß Barth von der Präexistenz der Kirche in Israel und von der Kirche als der vollkommenen Gestalt der erwählten Gemeinde spricht, wobei die andere Gestalt der erwählten Gemeinde – Israel, die Synagoge – «nur in dieser anderen Gestalt (nämlich der der Kirche) ihre Vollendung hat» (223), die Zukunft der Synagoge also in der Kirche liegt.

Die eigentliche systematische Intention Barths, das Verhältnis von Israel und Kirche in den Kategorien des christologischen Partizipationsmodells zu beschreiben, kommt also in seinen faktischen Ausführungen in KD II, 2 § 34, wo Barth das Verhältnis von Israel und Kirche noch in den Kategorien des ekklesiologischen Integrationsmodells beschreiben kann, nicht genügend zur Geltung.

4. Die Problematik der These Barths von Israel als dem Zeugen des Gerichtes und die Differenzierung im Zeugenbegriff

a) Die christologische Problematik der Bestimmung Israels zum Zeugen des (in Jesus Christus ergangenen) Gerichtes

Barth bestimmt die Doppelgestalt der einen Gemeinde christologisch: «als der Messias Israels ist er ... der Herr der Kirche» (218). Diese erste christologische Bestimmung erfährt aber sogleich notwendig die folgende nach Barth nur in einem Doppelsatz zu beschreibende Konkretion: «Jesus Christus ist der gekreuzigte Messias Israels. Er ist als solcher der authentische Zeuge des Gerichtes, das Gott ... auf sich selber nimmt» (auf sich genommen hat) und «Jesus Christus ist der auferstandene Herr der Kirche. Er ist als solcher der authentische Zeuge des Erbarmens, in welchem Gott ... diesem (dem Menschen) seine eigene Herrlichkeit zuwendet» (218).

Dieser Einheit und Doppelgestalt Jesu Christi selbst entspricht nun nach Barth die eine Gemeinde in ihrer Doppelgestalt als Israel und Kirche. Und Barth ordnet die Doppelgestalt der Gemeinde – das ist der entscheidende Punkt – dem Kreuz und der Auferweckung folgendermaßen zu (ich zitiere aus dem Leitsatz des § 34): «Diese eine Gemeinde Gottes hat in ihrer Gestalt als Israel der Darstellung des göttlichen Gerichtes, in ihrer Gestalt als Kirche (aus Juden und Heiden) der Darstellung des göttlichen Erbarmens zu dienen» (215). Von daher ist Israel zur Darstellung des göttlichen Gerichtes, das Gott auf sich selber genommen hat, die Kirche aber zur Darstellung des Erbarmens, das Gott dem Menschen zugewandt hat, bestimmt.

Die Problematik dieser Zuordnung wird erkennbar, wenn Barth formuliert: «Er ist aber eben als der auferstandene Herr der Kirche auch (!) der offenbarte Messias Israels» (218). Die Problematik dieser Zuordnung wiederholt sich dann im ekklesiologischen Bereich, wenn Barth formuliert: «Die Kirche ist aber ... aus Juden und Heiden zugleich die offenbarte Bestimmung Israels» (219). Die Problematik der Zuordnung wird aber erst ganz erkennbar, wenn ich – und zwar Barths These von der Einbeziehung der Welt in den Bereich des Erwählungshandelns Gottes mit dem Volk Israel in KD IV, 1 folgend – so präzisiere: Der gekreuzigte Messias Israels ist der auferweckte Messias Israels und als solcher auch der offenbarte Herr der Kirche und der Welt. Noch umfassender formuliert: Jesus Christus ist der gekreuzigte, auferweckte und kommende Messias Israels und als solcher auch der gekreuzigte, auferweckte und kommende Herr der Kirche und der Völkerwelt. Denn

Jesus Christus ist nur als der gekreuzigte Messias Israels auch der Versöhner der Welt, und Jesus Christus ist nur als der auferweckte Messias und Repräsentant Israels auch der offenbarte Herr der Kirche und der Welt. Und schließlich: Jesus Christus ist nur als der kommende Messias und Retter Israels auch der kommende Erlöser der Kirche und der Welt.

Ist aber die Geschichte Jesu Christi die Geschichte der Einbeziehung der Völkerwelt in den Bereich des Erwählungshandelns Gottes mit dem Volk Israel, dann ist ekklesiologisch-kerygmatisch anders, als Barth faktisch noch tun kann, zugleich aber in der Intention Barths zu sagen: Israel als – wie Barth ja selbst expressis verbis sagt – «das Volk des auferstandenen Christus» (II, 2, 289) ist in Jesus Christus dazu bestimmt, zugleich der Zeuge des Gekreuzigten, des Auferweckten und des Kommenden und also der Zeuge des Kreuzes, der Zeuge des Erbarmens und der Zeuge der Hoffnung Israels zu sein. Wird die Kirche und die Welt in der Geschichte Jesu Christi in den Bereich des Erwählungshandelns Gottes mit dem Volk Israel einbezogen (der auferweckte Messias Israels ist auch der Versöhner der Welt), dann ist wiederum auch die Kirche zum Zeugen des Gerichtes, zum Zeugen des Erbarmens und zum Zeugen der Hoffnung Israels und der Völkerwelt bestimmt.

Gegenüber dem Satz Barths «Die Kirche ist aber ... aus Juden und Heiden zugleich die offenbarte Bestimmung Israels» (219) wäre also von Römer 9–11 her zu formulieren: Die Zukunft und Hoffnung Israels (Röm. 11,25f.) ist zugleich die offenbarte Bestimmung der Kirche aus Juden und Heiden. Und gegenüber der These Barths von der wesentlich negativen Bestimmung Israels zum Zeugen des Gerichtes wäre zu formulieren: Israel ist wie zum Zeugen des Erbarmens (Licht der Völker) so zum Zeugen der Hoffnung bestimmt. Rest-Israel in Gestalt der Judenchristen ist nicht nur zum Hilfsdienst und Unterton der Kirche und ihres Zeugnisses vom Erbarmen, sondern zum Zeugen des Nein im Dienst des Ja wie zugleich (in der Person des Paulus repräsentiert) zum Zeugen der Hoffnung Israels bestimmt. Von seiner christologischen Konzentration auf das Nacheinander von Kreuz und Auferweckung gibt es für Barth aber in KD II, 2 § 34 nur eine Israel ante Christum crucifixum und eine Kirche post Christum resuscitatum. Daraus folgt die wesentliche Bestimmung Israels zum Zeugen des Gerichtes!

Mit seiner These von Israel als dem Zeugen des Gerichtes schreibt Barth aber faktisch die Verwerfung und Auslieferung des Messias Israels vom Kreuz her fest und bestimmt von daher 1. nicht nur das alttestamentliche Israel als Zeuge des Nein, in dem das Ja nur verborgen ist, 2. nicht nur die Synagoge zur Bezeugung des abstrakten Nein, sondern auch 3. die Judenchristen innerhalb der Kirche aus Juden und Heiden zu den primären Zeugen des Nein im Dienst der heidenchristlichen Bezeugung des Ja. Und 4. folgt aus dieser Integration Israels in die Kirche die These, die Hoffnung Israels sei sein Aufgehen in der Kirche. Die These Barths von Israel als dem Zeugen und der Funktion Israels als

Darstellung des Gerichtes ist aber weder von Barths eigenen christologischen Prämissen noch auch von den christologischen und ekklesiologischen Prämissen des Paulus gedeckt.

Hätte Barth seine These von Israel als dem Zeugen des Gerichtes auch in der Situation nach Auschwitz aufstellen können?

b) Die kerygmatische Problematik der Bestimmung der Synagoge zum Zeugen des Gerichtes

Machen wir uns zunächst folgendes klar:

1. Wenn Barth von der Bestimmung Israels zur Darstellung des Gerichtes spricht, dann spricht er nicht vom Tragen und Erleiden des Gerichtes durch Israel. Bezeugt doch Israel das Gericht, das Gott in der Geschichte Jesu Christi, im Kreuz Christi selber getragen und erlitten hat. «Man dürfte also nicht etwa (wie es Stoecker getan hat) das Volk der Juden die ‹verworfene›, die Kirche die ‹erwählte› Gemeinde nennen» (219f.).

2. Wenn Barth von der Darstellung des Gerichtes durch Israel und von der Darstellung des Erbarmens durch die Kirche spricht, dann ist der Begriff der Darstellung eindeutig zunächst als ein kerygmatischer Begriff gekennzeichnet. Dieser Sachverhalt wird nicht zuletzt auch dadurch erwiesen, daß die Jesus Christus erkennenden Judenchristen von Barth als die «lebendigen Zeugen» des Nein im Dienst der heidenchristlichen Bezeugung des Ja bezeichnet werden.

3. Die Bestimmung Israels zum Zeugen und zur Darstellung des Gerichtes ist «nur in der Erkenntnis Jesu Christi ..., d.h. aber (nur) im Glauben der Kirche erkennbar», kann also nicht von einem «neutrale(n) Ort und Beobachtungsstandpunkt» aus gemacht werden (221). Die Aussage von der Bestimmung Israels zur Darstellung des Gerichtes entzieht sich damit aber geschichtsphilosophischen Spekulationen und erst recht geschichtlicher Verifikation und Exekution.

4. Daraus folgt aber unmittelbar, daß die Aussage von der Darstellung des Gerichtes durch Israel nicht nur nur von der Kirche, sondern auch nur für die Kirche, d.h. nur in kerygmatischer und kirchenkritischer Absicht gemacht werden kann, da sie sonst wiederum in geschichtsphilosophische Spekulationen abgleiten würde.

5. Die Bestimmung Israels zur exemplarischen Darstellung des Gerichtes ist nur von der Erfüllung und Bestätigung der Verheißung in Jesus Christus her, d.h. von der Tatsache her zu verstehen, daß Israel «der erfüllten Verheißung so begegnet» (219) ist, daß es «seinen Messias Jesus den Heiden ausliefert zur Kreuzigung» (ebd.).

Dennoch ist zu Barths These von der Bestimmung Israels zum Zeugen des Gerichtes folgendes kritisch anzumerken:

1. Der Begriff der Darstellung ist ein äquivoker Begriff, insofern er sowohl die kerygmatische Bezeugung als auch die Zeichenebene der Schatten des Kreuzes in der Weltgeschichte bezeichnet (zu Barths Lehre

von den Schatten des Kreuzes in der Israel- und Weltgeschichte vgl. meine Arbeit «Promissio und Bund. Gesetz und Evangelium bei Luther und Barth 1976, 222ff.). Hat der Begriff der Darstellung kerygmatische Bedeutung, so ist er auf die Judenchristen innerhalb der Ekklesia zu beziehen, insofern die Judenchristen – Barth will es so – den besonderen Zeugendienst des Nein als Unterton der heidenchristlichen Bezeugung des Ja versehen. Der Begriff der Darstellung gewinnt aber im folgenden Satz eine Bedeutung, die ihn eindeutig in die Zeichenebene verweist: «Im Schicksal dieses Volkes, in seiner von seinem Leiden in Ägypten bis zum letzten Untergang Jerusalems und darüber hinaus bis auf diesen Tag (1942!) immer neu wiederholten Preisgabe, Ausrottung und Zerstörung ... spiegelt sich der Radikalismus, ... die Rätselhaftigkeit seiner (Gottes) Selbsthingabe (ins Kreuz). Es entspricht der Tiefe der Not dieses Volkes die Tiefe, in die ... Gott selbst sich herabzulassen sich nicht zu teuer ist ... Das bezeugt ursprünglich: Israels am Kreuz leidender und sterbender Messias» (287). Daß diese zweite Bedeutung des Begriffs der Darstellung nicht geschichtsphilosophisch gemeint ist, darauf wird gleich zurückzukommen sein. Barth läßt also im Begriff der Darstellung offen, ob es sich hier um eine kerygmatische Kategorie oder um einen signifikativen Begriff auf der Ebene der Zeichen handelt.

2. Wenn der Begriff der Darstellung kerygmatische Bedeutung hat, infolgedessen den Zeugendienst der Judenchristen an der Geschichte Jesu Christi meint, dann wird nicht eigentlich deutlich, wieso es die besondere Funktion der Judenchristen sein soll, die Bezeugung und also die Darstellung des Nein im Dienst der heidenchristlichen Verkündigung des Ja zu vollziehen. Kann doch von der Geschichte Jesu Christi in Kreuz und Auferweckung her nicht mehr deutlich gemacht werden, warum des Judenchristen «besonderes Zeugnis von Gottes Gericht zum Unterton des Zeugnisses der Kirche wird: des Zeugnisses von Gottes Erbarmen» (232). Die Frage, warum den Judenchristen innerhalb der Ekklesia der Primat der kerygmatischen Bezeugung des Nein zukommen soll, findet bei Barth keine Antwort und von seinen christologischen Prämissen her auch keine Deckung.

Ob Barth in der Situation nach Auschwitz noch hätte so reden können?

c) Die signifikative Problematik der Bestimmung der Synagoge zur Darstellung des Gerichtes

Barth hat die Bestimmung Israels zur Darstellung des Gerichtes in ihrer signifikativen Bedeutung immer wieder entwickelt, und sie ist nur verstehbar auf dem Hintergrund von Barths Lehre von den Schatten und Zeichen des Kreuzes in der Weltgeschichte. So nennt Barth die Leidensgeschichte Israels «eine nachträgliche Bezeugung» der Leidensgeschichte Jesu Christi: «Man darf und muß auch hier an die Geschichte der Juden bis auf diesen Tag denken. Sie war und ist – ob von den Juden selbst und ihrer Umgebung verstanden oder nicht – gerade darin ein Stück lebendigen Alten Testamentes, daß in ihren großen Zügen auch sie eine einzige Geschichte von Demütigungen und Enttäuschungen, eine Leidensgeschichte ist. Sie ist wie das, was im Alten Testament selbst vorläufig sichtbar wird, eine nachträgliche Bezeugung dessen, was als ihre Erfüllung in dem einen israelitischen Menschen Jesus geschehen ist» (IV/1,191). Und diese signifikative Darstellung des Gerichtes in der jüdischen Geschichte «ist es, was aller alte und neue Antisemitismus sehr wohl gewittert, nur eben als den allen Menschen aller Völker vorgehaltenen Spiegel nicht verstanden hat» (187).

Israels Bestimmung zur Darstellung des Gerichtes im Kreuz Christi gehört also in Barths Lehre von den Schatten der jüdischen Geschichte als den Zeichen des Gerichtes Gottes im Kreuz Christi. Die Bestimmung Israels zur signifikativen Darstellung des Gerichtes im Kreuz Christi meint, «daß man Gottes ... Gerichtstaten an Israel und mit ihnen das israelitische Schicksal in allen Zeiten und Zonen gerade nicht für sich ansehen kann, ... daß das Alles, so furchtbar es ... tatsächlich ist, nur Widerschein ist von dem unendlich viel Furchtbareren, das sich am Karfreitag zugetragen hat» (II/1,444).

Folgende Fragen ergeben sich an diese Bestimmung Israels zur signifikativen Darstellung des Gerichtes im Kreuz und des vergehenden Menschen:

a) Wie kann die Kirche, von der – im Wissen um die Geschichte Jesu Christi als der Geschichte des Messias Israels – die Bestimmung Israels allein erkannt werden kann, die signifikative Darstellung des Gerichtes am Kreuz in der Geschichte Israels überhaupt erkennen in den unsäglichen Leiden, Demütigungen und Verfolgungen des Judentums unter dem antiken und christlichen Antisemitismus einerseits und in dem Martyria-Leiden des Judentums als Leiden um seiner Erwählung willen aufgrund der ihm verliehenen Charismata und Berufung andererseits? Wie kann zwischen dem signifikativen Gerichtsleiden, dem aus dem Antijudaismus erfolgten Leiden und dem Martyria-Leiden infolge der Bezeugung der Erwählung Israels und Jahwes als des Gottes Israels unterschieden werden? Muß nicht zwischen dem signifikativen Leiden aus Ungehorsam angesichts der erfüllten Verheißungen und dem Martyria-Leiden aus Gehorsam unterschieden werden? Kein Geringerer als R. R. Geis hat diese Unterscheidung jedenfalls treffen zu müssen gemeint (in: «Der ungekündigte Bund», 58–61).

b) Barth hat die signifikative Darstellung und Funktion der Synagoge als die nur abstrakte, nackte Darstellung des Gerichtes Gottes und des vergehenden Menschen bezeichnet. Indem die Synagoge sich der Erfüllung in der messianischen Geschichte Jesu Christi widersetzt, kann sie «nun dem Zeugnis der Kirche gegenüber nur das nackte, blanke Gericht Gottes darstellen, nur die Widersetzlichkeit und das ihr folgende Elend des (vergehenden) Menschen ... (haben die Juden) der Welt außer dem auf ihnen liegenden Schatten des Kreuzes Jesu Christi nichts zu bezeugen» (II/2,230). Angesichts solcher und anderer – wie ich meine – erschreckender Sätze wird die Frage lauten müssen, ob die signifikative Darstellung eines abstrakten Nein post Christum resuscitatum von Barths eigenen christologischen Prämissen her überhaupt ausgesagt werden kann und darf, ist doch post Christum resuscitatum das Nein nie mehr abstrakt ohne das Ja denkbar, sondern nur noch als Moment und im Rahmen des Ja verstehbar (vgl. IV/1,378ff.). Warum fixiert und restringiert Barth die signifikative Darstellung Israels auf die Situation post Christum crucifixum, wie es vor ihm auch Stoecker und der theologische Antijudaismus getan haben? Ist Israel der Spiegel des Gerichtes, dem doch Barths eigenen Aussagen zufolge Gott den Menschen entrissen hat?! Barth spricht also von der durch das Judentum zu vollziehenden signifikativen, zeichenhaften Darstellung eines abstrakten Nein, das post Christum resuscitatum – nach Barths eigenen Prämissen – gar nicht mehr möglich ist!

c) Barth hat, worauf ich soeben schon hingewiesen habe, Israels Dienst des Hörens, sein Empfangen der Verheißung in KD § 34,3 auf das Wort Christi, auf die Prophetie Jesu Christi begründet (vgl. II/2, 256f. 282), sie damit faktisch als die – wenn auch indirekte – israelitische Bezeugung der Prophetie Jesu Christi verstanden. Als Zeuge der empfangenen Verheißung ist Israel indirekter signifikativer Zeuge der Prophetie Jesu Christi.

Barth hat in seiner genannten Diskussion mit Juden in Amerika gerade diesen Empfang der Verheißung als die Bedingung der Möglichkeit zum Dialog mit dem Judentum genannt. Barth hat weiter, worauf ich ebenfalls schon hingewiesen habe, nicht deutlich machen können, warum der Synagoge gerade von der Zukunft der Verheißung Israels und also der ihr zugesagten Zukunft des neuen Menschen im Kommen des Messias Israels her nur die Bezeugung des vergehenden, nicht aber die – wenn auch indirekte – Bezeugung des kommenden Menschen zukommt.

Barth hat schließlich über seine Lehre von den Schatten in der Weltgeschichte als Zeichen des Kreuzes Christi hinaus seine Lehre von den Lichtern in der Weltgeschichte als den Zeichen der Auferstehung und der Prophetie Jesu Christi entwickelt (vgl. meine Arbeit «Promissio und Bund» a. a. O. 222ff.). Dort sagt Barth, daß die Prophetie Jesu Christi als das wahre Licht des Selbstzeugnisses Gottes «sich in die beschränkte Gestalt des kreatürlichen Selbstzeugnisses (!) verkleiden kann. Gottes ewiges ... Wort, das neue Wort vom Reich und vom Gnadenbund kann seine Gestalt wandeln, kann laut werden in der scheinbar ganz anspruchslosen Gestalt dieses oder jenes Selbstzeugnisses der Kreatur» (IV/3, 179). Und es stellt sich dann doch nun einfach die Frage, inwiefern Barths Lehre von den Zeichen der Prophetie Jesu Christi in der Weltgeschichte nicht zuerst im Hinblick auf das jüdische und dann erst im Hinblick auf das kreatürliche Selbstzeugnis zu verstehen ist. Besteht doch der Dienst der Synagoge im Hören der göttlichen Verheißung, wie Barth § 34,3 sagt. «Ob es zum Glauben an Gottes Verheißung kommt oder nicht, ... Israel ist Hörer der Verheißung» (II/2,259). Es wäre also Barths Lehre von der Bestimmung Israels zur signifikativen Darstellung des ergangenen Gerichtes und des vergehenden Menschen, die Barth als eine Element seiner Lehre von den Schatten der Weltgeschichte als den Zeichen des Kreuzes Christi entwickelt, – post Christum resuscitatum und von der Bestimmung Israels zum Empfänger der Verheißung (§ 34,3) her – durch eine Lehre von der signifikativen Bestimmung Israels zur Darstellung der Prophetie Jesu Christi zu ersetzen, also durch eine Lehre von der möglichen «Verwandlung» der Prophetie Jesu Christi zuerst in das besondere jüdische und dann in das allgemein kreatürliche Selbstzeugnis. Der signifikativen Bestimmung Israels zum indirekten Zeugen des Kreuzes wäre dann eine signifikative Bestimmung Israels zum indirekten Zeugen der Auferstehung bzw. der Prophetie Jesu Christi – und der erst recht in der Situation nach Auschwitz – gegenüber zu stellen, ja jene wäre angesichts der Teleologie des Nein im Dienst des Ja streng innerhalb der Klammer von dieser zu verstehen und noch mehr zu praktizieren!

Es ist also die Frage zu stellen, warum Barth die signifikative Darstellung Israels negativ begrenzt und nicht positiv im Kontext seiner Lichterlehre zur Sprache gebracht hat. Es ist also zu fragen, warum Barth keine israelitische Kontur der Lichterlehre entwickelt, warum er zwar eine Verwandlung der Prophetie Jesu Christi in die Gestalt eines allgemeinen kreatürlichen, nicht aber in die des besonderen jüdischen Selbstzeugnisses kennt. Ich möchte also fragen, ob die Unterscheidung zwischen dem kerygmatischen und dem signifikativen Begriff der Darstellung nicht notwendig sowohl hier wie dort die Fixierung auf die Darstellung des Gerichtes sprengt – und zwar von Barths eigenen Prämissen her:

a) von der Prämisse her, daß im kerygmatischen Bereich post Christum resuscitatum das Nein nur noch als Element des Ja bezeugt und somit die Judenchristen von der Bezeugung des Ja nicht ausgenommen werden können,

b) von der weiteren Prämisse her, daß im signifikativen Bereich die Beschränkung der Bestimmung Israels auf die Darstellung des Gerichtes im Kreuz post Christum resuscitatum sowohl im Hinblick auf Israel als Empfänger der göttlichen Verheißung (§ 34,3) als auch von Barths Lehre von den Lichtern in der Weltgeschichte als den Zeichen der Prophetie Jesu Christi her (IV/3 § 69,2) nicht einzuleuchten vermag.

Ob Barth in der Situation nach Auschwitz das Zeugnis der Synagoge so negativ hätte bestimmen können?

d) Die Differenzierung und Ausweitung des Zeugenbegriffs

Es wäre nun von diesen Überlegungen her folgende Differenzierung im Zeugenbegriff vorzunehmen zwischen

1. Jesus Christus als dem *authentischen Zeugen*, der in Erfüllung der Sendung Israels das Licht Israels und auch der Welt ist –

2. der Ekklesia aus Juden und Heiden, die – vorläufig und repräsentativ – die Funktion des *direkt bezeugenden Zeugen* ausübt, wobei diese kerygmatische Zeugenfunktion als aktiver, direkter Zeugendienst an dem Selbstzeugnis des überzeugenden Zeugen Jesus Christus zu verstehen wäre –

3. der Synagoge als dem *indirekt bezeugenden Zeugen*, dessen Funktion die – wenn auch indirekte – Darstellung der Auferweckung und Prophetie Jesu Christi ist. Die Synagoge bzw. das Judentum wären dann als die indirekt bezeugenden Zeugen gerade auch der Prophetie Jesu Christi zu bezeichnen. Die Lehre Barths von der besonderen Funktion der Darstellung des Schattens des Kreuzes durch das Judentum wäre post Christum resuscitatum auf die (von Barth merkwürdigerweise nicht ausgeführte, obwohl in § 34,3 angelegte) indirekte Darstellung der Prophetie Jesu Christi zu beziehen. Insbesondere wäre in der Situation nach Auschwitz die bleibende Erwählung und die besondere Sendung des Judentums als indirekter Zeuge der Prophetie Jesu Christi theologisch zu würdigen und praktisch ernstzunehmen. –

4. den Schatten und Lichtern in der allgemeinen Weltgeschichte als den *indirekt verweisenden Zeichen* des Kreuzes und der Prophetie Jesu Christi. Die indirekt bezeugenden Zeugen in ihrer israelitisch-jüdischen Besonderheit wären dann zu unterscheiden von den indirekt verweisenden Zeichen in ihrer kreatürlichen Allgemeinheit, und es wäre dann mit J. Moltmann zu fragen, ob das primäre Verhältnis der direkt bezeugenden Zeugen (Ekklesia) zu den indirekt bezeugenden Zeugen (Judentum post Christum resuscitatum) die Bedingung der Möglichkeit für die Erkenntnis der indirekt verweisenden Zeichen in der Weltgeschichte wäre: «Wir drücken damit die ... Überzeugung aus, daß ... das Verhältnis zu den Religionen aus der Beziehung der Kirche zu Israel sachlich und zeitlich begründet ist; daß ferner das Verhältnis der Kirche zum Staat und das politische Engagement der Christen von ihrem Verständnis des Alten Testamentes und ihrem Verhältnis zum jüdischen Messianismus bestimmt wird» (Kirche 155 vgl. 153–156). Die Schatten und Lichter der besonderen Israelgeschichte als die indirekt bezeugenden Zeugen des Kreuzes und der Auferweckung Jesu Christi wären dann die Bedingung der Möglichkeit zum Verständnis und zur Erkenntnis der Schatten und Lichter der allgemeinen Welt- und Menschheitsgeschichte als den indirekt verweisenden Zeichen des Kreuzes und der Auferweckung.

Auf die Bedeutung der *israelitischen Kontur der Lichterlehre* kann in diesem Zusammenhang nicht weiter eingegangen werden: Ich möchte den Hinweis, daß in einer Lichterlehre nicht nur oder gar primär von dem allgemeinen kreatürlichen Selbstzeugnis, sondern primär von dem besonderen jüdischen Selbstzeugnis und also zuerst von Israel zu reden wäre, lediglich durch folgendes Beispiel zu konkretisieren versuchen: Sechs Jahre nach dem Erscheinen der Erwählungslehre und der innerhalb dieser entwickelten Israellehre hat Barth 1948 seine Anthropologie veröffentlicht, darin von dem wirklichen Menschen Jesus von Nazareth her die Mitmenschlichkeit des Menschen als «die Grundform der Menschlichkeit» (III, 2, 264) beschrieben und sich in dieser Bestimmung der Mitmenschlichkeit im Sinne der Humanität des Ich und Du explizit u. a. auf die Anthropologie des jüdischen Philosophen Martin Buber berufen: «Da wir selbst zu der Behauptung gekommen sind, daß eben in dieser Konzeption der Humanität die Natur ... des Menschen an sich und im Allgemeinen ... zu finden sei, werden wir ... als einen indirekten Beweis (!) unserer Behauptung entgegennehmen: daß ein bestimmtes Wissen um diese Konzeption auch dem Menschen an sich und im allgemeinen (!), auch (hier wird Barths problematische Reihenfolge zu beachten sein) dem Heiden (Konfuzius), dem Atheisten (Feuerbach), dem Juden (Buber) ... möglich war und ist, und daß sie ... auch außerhalb der christlichen Theologie vertreten worden ist. Der natürliche Mensch ist nun einmal – auch in seinem natürlichen Wissen um sich selbst – im Bereich der göttlichen Gnade: in dem Bereich, in dem auch der Mensch Jesus gewesen ist» (334). Indem es sich in den Aussagen Barths zur Mitmenschlichkeit als der Grundform der Humanität um Explikationen und Lehrsätze aus der Christologie handelt, kann es sich bei diesen Koinzidenzen mit der außerchristlichen Anthopologie nicht «um ein völliges Zusammentreffen» (333), sondern nur um Phänomene und Lichter, um indirekte Hinweise und Zeugnisse handeln.

M. Buber hat denn auch in seiner kurzen Besprechung von KD III, 2, 333ff. sagen zu können gemeint, – und die Legitimität des von Buber Gesagten könnte allererst eine Analyse des von Barth nicht veröffentlichten Buber-Fragments zu KD III, 2 erweisen –: «So übernimmt er (Barth) einerseits, natürlich in der Weise des echten Selbstdenkens, unsere Erkenntnis der grundlegenden Scheidung zwischen Es und Du und des wahren Seins des Ich in der Begegnung; andererseits kann er (Barth) nicht recht zugeben, daß solch eine Fassung der Mitmenschlichkeit auf anderem Boden als dem christologischen ... gewachsen sein könnte» (Schriften über das dialogische Prinzip. Nachwort 1954, 303). «Ich kenne – hat deshalb H. Gollwitzer Buber zustimmend gesagt – ... keine christliche Anthropologie, in der das Mitsein des Menschen mit dem Menschen in solcher Intensität als fundamentale und nicht nur akzidentielle Bestimmung des Menschseins ausgeführt ist» und hinzugefügt: «Die Nähe, in der sich die beiden Denker (Barth und Buber) befinden, wird gerade dem deutlich werden, der sich darüber wundert, daß Barth sich darüber wundert – weil er das nämlich von seinen Voraussetzungen her keineswegs nötig hat» (Martin Bubers Bedeutung für die protestantische Theologie, in: Leben als Begegnung, Hg P. von der Osten-Sacken Heft 7, 1978, 74).

Auf die Frage und den Zweifel Barths, «ob und inwiefern sie (Konfuzius, Feuerbach, Buber) uns ihrerseits bis in die letzten und entscheidenden Konsequenzen ..., nämlich ... bis zu jener Freiheit des Herzens zwischen Mensch und Mensch als der Wurzel und Krone des Humanitätsbegriffs folgen werden» (334), antwortete Buber: «Bei den Chassidim ... ist das ‹gern› der Herzensfreiheit ... die innerste Voraussetzung ... Aber ich wollte, ich könnte Karl Barth hier, in Jerusalem zeigen, wie die Chassidim die Freiheit des Herzens zum Mitmenschen – tanzen» (305).

Barths Feststellung der anthropologischen Koinzidenzen, die doch keine Identitäten sind und sein können, ist gegenüber Buber durch ein Doppeltes gekennzeichnet: Barth versteht einmal Bubers Dialogik als «gewisse Bestätigung», ja sogar «als einen indirekten Beweis» (334) seiner eigenen aus der Christologie abgeleiteten Humanität des Ich und Du. Barth ordnet aber zugleich die Anthropologie Bubers dem allgemein kreatürlichen Selbstzeugnis, dem «natürlichen Menschen ... mit seinem natürlichen Wissen um sich selbst» (334) und also – im Unterschied zu dem christlichen – «dem Menschen an sich und im allgemeinen» (ebd.) und also dem «weltlichen, d.h. nicht christlichen Wissen» (ebd.) des Heiden Konfuzius und des Atheisten Feuerbach zu. Das Besondere des jüdischen Selbstwissens im Unterschied zu dem allgemeinen Wissen des Menschen um sich selbst und also die israelitische Kontur der Lichter- und Phänomenenlehre auch und gerade im Zusammenhang der Anthropologie ist hier von Barth verkannt, ja durch die Einordnung des besonderen jüdischen in das allgemein anthropologische Denken bewußt in Abrede gestellt.

Wiederum 11 Jahre später, wenn Barth in KD IV, 3 § 69,2 «Das Licht des Lebens» in dem wichtigen Abschnitt über die Prophetie Jesu Christi auf die Lichter und Phänomene außerhalb der christlichen Gemeinde zu sprechen kommt, fehlt die besondere israelitische Kontur der Lichterlehre: Obwohl Barth auf die Heimholung Jesu ins Judentum («Er ist ein großer Prophet ... Das wird heute auch von der Synagoge zugegeben», IV, 3, 96) zu sprechen kommt, obwohl Barth das Judesein Jesu theologisch entgegen einer allgemeinen Rede von dem Menschsein bzw. der Menschlichkeit Jesu von Nazareth akzentuiert («Das Wort wurde nicht ... Mensch ... in irgend einer Allgemeinheit, sondern jüdisches Fleisch», IV, 1, 181f.), obwohl Barth dem theologischen Existentialismus Bultmanns gegenüber deshalb Bedenken hat, weil «das Volk Israel ... für diese Theologie bis jetzt (keine) konstitutive Bedeutung zu haben scheint» (Die Menschlichkeit Gottes Th St H 48, 1956, 19), obwohl Barth vor der Perversion der wahren Prophetie Jesu Christi in die «Proklamation der unverhüllten Intoleranz» mit den politischen

Folgen «von Unterdrückungen und Verfolgungen ..., von Scheiterhaufen, Religionskriegen, Kreuzzügen und ähnlichen Greueln» warnt (IV, 3, 99), – vermag er doch die christologische Exklusivität der Prophetie Jesu Christi nur in Abgrenzung und Bestätigung zum einen der «Prophetie der Christen und auch ... der Kirche» und zum anderen der «sonstigen Prophetien, Lebenslichter, Gottesworte anderer, nichtchristlicher Art (!)» (IV, 3, 101) zu bestimmen, vermag er also nicht von einem besonderen jüdischen Selbstzeugnis im Unterschied zu einem allgemeinen kreatürlichen Selbstzeugnis zu sprechen.

Daß auch dies eigentlich im Widerspruch zu Barths christologischem Partizipationsmodell und zu Barths partikular-universaler Christologie steht, darin ist H. Gollwitzer zuzustimmen, «weil er (Barth) das nämlich von seinen Voraussetzungen her keineswegs nötig hat. Einige Jahre später wird er ohnehin in sehr viel größerer Freiheit solche Koinzidenzen zwischen christlichem und nichtchristlichem Denken weniger als ein Problem und mehr als ein von den Christen dankbar zu begrüßendes Zeichen des unbegrenzten Geltungsbereichs der durch die Auferstehung besiegelten Versöhnung der Welt mit Gott ansehen. Aber auch jetzt schon (1948!) hätte Barth es eigentlich nicht passieren dürfen, den Heiden Konfuzius und den Juden Buber so umstandslos nebeneinander zu nennen – nach allem, was er selber seit 1932, christlichen Antijudaismus immer entschiedener bekämpfend, über die fortdauernde Erwählung des jüdischen Volkes zu sagen gewußt hat ... Einen Augenblick lang hat Barth – im Widerspruch zu sich selbst – seinen christologischen Ansatz als exklusive Engführung gehandhabt ..., nicht inklusiv auch Israel und also den Juden Buber auf der gemeinsamen biblischen Basis umschließend, wie es seiner Grundauffassung von der Zusammengehörigkeit von Israel und der Kirche entspricht.» (Bubers Bedeutung für die protestantische Theologie a. a. O. 74f.). Es bleibt gegenüber den wichtigen Sätzen Gollwitzers im Hinblick auf das Fehlen einer israelitischen Kontur der Lichterlehre lediglich zu präzisieren, daß das eigentliche Problem Barths nicht – wie Gollwitzer meint – in der christologischen Engführung zu sehen ist (schon 1948 spricht ja Barth im Sinne seiner späteren Lichterlehre von den außerchristlichen Lichtern und indirekten Bestätigungen, Zeichen und Phänomenen!). Das eigentliche Problem Barths besteht vielmehr darin, daß er gerade von der Inklusivität der Christologie herkommend nicht mehr zwischen dem Besonderen der indirekt bezeugenden Zeugen (dem jüdischen Selbstverständnis und Selbstzeugnis in der Gestalt etwa des Juden Buber und seiner bibelwissenschaftlichen Arbeiten) und dem Allgemeinen der indirekt verweisenden Zeichen und Lichter (dem allgemein anthropologischen Selbstverständnis etwa eines Feuerbach und dem Konkordat der Welt mit sich selbst) zu differenzieren vermag und so das Besondere des jüdischen Selbstzeugnisses dem Allgemeinen des kreatürlichen Selbstzeugnisses ein- und unterordnet. Nicht der Mangel an christologischer

Inklusivität, sondern die mangelnde Differenzierung und die Eliminierung des Besonderen des Judentums post Christum resuscitatum gerade innerhalb der christologischen Inklusivität scheint mir das Desiderat der Barthschen Lichterlehre schon seit 1948 und nicht erst seit 1959 zu sein. In diesem Sinne will mein Verweis auf die israelitische Kontur der Lichterlehre verstanden werden, in diesem Sinne möchte mein Hinweis auf die Unterscheidung zwischen den direkt (Kirche) und indirekt (Judentum) bezeugenden Zeugen im Unterschied zu den indirekt verweisenden Zeichen (Lichtern) verstanden werden.

Es wäre also im Gefolge der theologisch notwendigen Ausweitung im Zeugenbegriff zu differenzieren (1) zwischen dem Selbstzeugnis des authentischen und überzeugenden Zeugen Jesus Christus, (2) zwischen dem Zeugendienst der (vorläufig und repräsentativ für ganz Israel) direkt bezeugenden Zeugen, der Ekklesia aus Juden und Heiden, (3) zwischen den Lichtern und auch Schatten (in dieser Reihenfolge!) der besonderen Israelgeschichte und der Geschichte der Juden als den indirekt bezeugenden Zeugen (die Synagoge als der Empfänger und Hörer der Verheißung) und – von der Partikularität zur Universalität schreitend – (4) den Lichtern und Schatten der allgemeinen Welt- und Menschheitsgeschichte als den indirekt verweisenden Zeichen.

Ich kann meine Anfragen an den gesamten § 34 der KD nunmehr so zusammenfassen:

1. Ich verstehe nicht, warum in § 34,1 von den christologischen Intentionen Barths her nicht so formuliert werden muß: Der gekreuzigte und auferweckte Messias Israels, der als solcher die Zukunft Israels ist, ist auch der Versöhner und Herr der Welt und der Kirche. Nicht ist, wie Barth formuliert, «der auferstandene Herr der Kirche auch (!) der offenbarte Messias Israels» (218), sondern: der auferweckte Messias Israels ist auch der offenbarte Herr der Kirche. Von daher ist es – vom auferweckten und kommenden Messias her – einseitig und erst recht in der Situation nach Auschwitz theologisch illegitim, Israel nur zur Darstellung des Kreuzes und nicht zugleich wesentlich und primär zur Bezeugung der Auferweckung und der Zukunft seines Messias und des von ihm repräsentierten Reiches zu bestimmen. Barth hat diesen Akzent später in dem schon erwähnten Ergänzungsvorschlag zu der Erklärung der ökumenischen Tagung in Evanston «Jesus Christus – die Hoffnung der Welt (!)» deutlich zum Ausdruck gebracht: «Wenn überhaupt von einer Gemeinschaft behauptet werden kann, daß sie von der Hoffnung lebt, so ist das gerade und zuerst (!) vom Judentum zu sagen. Israel ist das Volk der Hoffnung».

2. Ich verstehe nicht, warum in § 34,2 – von Barths Zuordnung von «Gesetz und Evangelium» her – nicht auch so formuliert werden muß: Israel steht nach Barth als der abstrakte Zeuge des Gerichtes auch im Bereich der – wenn auch indirekten – Zeugen des Erbarmens Gottes. Ich verstehe, daß die traditionelle Behandlung der Israelproblematik,

die Zuordnung Israels zur Kirche und damit die Substitution Israels durch die Kirche, Barth die Aufnahme der Thematik von «Evangelium und Gebot» zur Überwindung eines Israelverständnisses im Schema von «Gesetz und Evangelium» notwendig erscheinen lassen mußte. Insofern es aber aufgrund der Auferweckung nach Barth zur Wiederherstellung der ursprünglichen Ordnung von Evangelium und Gebot kommt, liegt Israels eigentliche Bestimmung und Berufung im Zeugendienst an der messianischen Verheißung und im Gehorsam gegenüber der empfangenen Thora als der Form der messianischen Verheißung.

3. Ich verstehe weiter nicht, warum in § 34,3 – von der von Barth selber vollzogenen Zuordnung der von Israel (der Synagoge) empfangenen Verheißung zur Prophetie Jesu Christi her (vgl. 256f., 282) – Israel als Zeuge der empfangenen und gehörten Verheißung nicht zugleich eine positive Qualifizierung von der Auferweckung Jesu Christi her erfährt, insofern «Jesus als Gottes Verheißung in Person» (256), «als das göttliche Selbstzeugnis in Person» (257) bezeichnet wird und Israels besonderer Dienst «im Hören, im Empfang, in der Entgegennahme der göttlichen Verheißung» (ebd.) besteht.

4. Ich verstehe schließlich nicht, warum in § 34,4 – von der paulinischen Ansage und Erwartung des kommenden Retters als des Repräsentanten und Retters von ganz Israel her – nicht auch so formuliert werden muß: Israel steht als Zeuge wesentlich unter der Bestimmung, von der Hoffnung Israels her den kommenden Menschen zu bezeugen.

5. Die christliche Theologie und Israels Land

Von dem in der Auferweckung Jesu Christi begründeten positiven Verständnis des Judentums post Christum resuscitatum als eines indirekt bezeugenden Zeugen der Geschichte Jesu Christi her ergeben sich auch Kriterien und Maßstäbe für die theologische Frage nach dem Land Israels wie umgekehrt Barths Israellehre ihr Defizit und Schwanken an dieser Stelle deutlich zeigt. Die israelitische Kontur der Lichterlehre bzw. das Verständnis des Judentums und der Synagoge als eines indirekt bezeugenden Zeugen erweisen hier ihre Aktualität und Konkretheit. J. Moltmann ist zunächst zuzustimmen: «Das gegenwärtige und theologisch schwierigste Problem ist das ‹Land Israels› und die Staatsgründung Israels in diesem Land. Wer Israel theologisch anerkennt, muß wissen, daß für Israel (!) Gott, Volk und Land zusammengehören. Wie man früher gern zwischen dem Gottesgedanken und dem Volk getrennt hat, um den alttestamentlichen Monotheismus zu übernehmen, das Volk aber zu verachten, so kann man heute leicht Gott und sein Volk anerkennen, aber das Land und den Staat verachten» (Kirche 170).

a) Alttestamentliches und jüdisches Verständnis von Israels Land

Israels Bekenntnis zu Jahwe ist «immer auch als das Bekenntnis zu dem Gott verstanden worden, der Israel nach der Herausführung hineinführte in das Land Kanaan» (W. Zimmerli, Grundriß der atl. Theologie 1972, 53). Daraus folgt aber, «daß das Alte Testament im Blick auf das Land, in dem Israel wohnt, ein volles Ja aussagt. Jahwe will kein landloses und armes Volk. Er will aber ein Volk, das ihn über diesem Besitze allezeit als den Herrn und Geber anerkennt und dieses auch in seinem praktischen Tun zum Ausdruck bringt» (W. Zimmerli, Die Weltlichkeit des Alten Testaments 1971, 78). Der Doppelaspekt des Landes als «Erbgut Israels» und «Erbgut Jahwes» schlägt sich nieder in dem doppelten Wissen, daß das Land Israel nicht von Israel als dem Volk Jahwes zu trennen ist und daß es Geschenkcharakter besitzt (Grundriß 54f.). Aus dieser doppelten Relation zu Jahwe als dem Gott Israels und zu Israel als dem Volk Jahwes folgt aber umgekehrt für das Land: «Das Land ist für den alttestamentlichen Glauben nicht ein Adiaphoron, das da sein kann, aber ebensogut fehlen könnte. Es gehört voll zu dem Gottesverhältnis Israels dazu» (Weltlichkeit 82). Spricht M. Buber von dem Land als einem «Urdatum» Israels, so ist dies nach Zimmerli in der Tat dann möglich, wenn man diese Urverbindung in der Erwählung und in dem Bund Jahwes begründet und nicht autochthon in einer unmittelbaren Anfangsverbindung versteht, «nicht im Sinne einer Blut- und

Bodenreligion, in der Israel wachstümlich mit diesem Boden von Uranfang verbunden wäre» (ebd.).

Und diese in der Erwählung und Setzung Jahwes, des Gottes Israels, gegründete Verbindung von Israel und seinem Land erklärt es nach Zimmerli, «warum Israel so zäh wie kein anderes Volk um die Rückkehr in sein Land gekämpft hat ... vor unseren Augen heute wieder im modernen Zionismus, so sehr dieser ganz säkular bestimmt zu sein scheint» (83). Indem aber das Land nie einfach selbstverständlicher, sondern als Liebesgabe gewährter und geschenkter Besitz ist, ist Israel «zugleich davor bewahrt, das Land und den Besitz nun in einer Eigengesetzlichkeit zum Herrn seines Glaubens zu machen. Das Land ist nicht ein Phänomen der ‹Welt› mit einer eigenen innerweltlichen Gesetzlichkeit. Vielmehr wird es ... immer wieder als vor Jahwe zu verantwortende Gabe verstanden» (83).

Jüdisches Selbstverständnis hat von Moses Hess («Ja das Land ist es, was uns fehlt, um unsere Religion auszuüben», so «daß wir, seitdem wir das Land verloren haben, Gott nicht mehr als Nation durch Institutionen dienen können»; zit. bei M. Buber, Der Jude und sein Judentum 1953, 414) über M. Buber («Wir brauchen eine eigene Erde, um es [das Gebot] zu erfüllen, ... auf fremdem Boden und unter fremder Satzung ist kein Versuch zu wagen» ebd. 634) bis hin zu R. R. Geis («Das jüdische Glaubensvolk bedarf seines Landes, das immer als die große Bewährungschance verstanden wurde»; in: Der ungekündigte Bund 71) auf der Grundlinie dieses alttestamentlichen Verständnisses vom Land Israels argumentiert und gekämpft. Das Land Israel ist «Zeichen» der «Erwählung dieses Volkes und dieses Landes» (M. Buber 446f.), «es ist das Zeichen der Vergewisserung der Liebe Gottes zu Israel und der Zugehörigkeit Israels zu Jahwe» (Zimmerli, Weltlichkeit 82).

b) Das Problem einer christologischen Bestätigung oder Krise der Landverheißung

H. H. Henrix hat in seinem wichtigen Beitrag zur Theologie des Judentums (FR 1976, Jhg. XXVIII 16ff.) auf «eine lange Tradition der Theologie» verwiesen, die «Gottes Strafen und Verwerfen angesichts des Landverlustes und der Zerstreuung der Juden in alle Welt konkretisiert» hat und hat es dann für eine aufgrund der biblischen Landverheißungen Israel auch als Land thematisierende Theologie des Judentums für verheißungsvoll angesehen, wenn diese «das Thema des Landes ... Israel als eine Chance wahrnimmt», nun positiv «ihr Denken Gottes, seines Erwählens und seines Berufens, seines Bundes und seines Verheißens ... angesichts einer zeitlich und räumlich angebbaren Wirklichkeit der Gegenwart zu konkretisieren» (21). Und er stellt am Schluß die Frage: «Gibt es methodologisch eine Sicherung, dabei die Scylla ideologischer Verbrämung politischer Realitäten und die Charybdis billiger Unverbindlichkeit abstrakter Theologie zu meiden?» (ebd.).

Steht Barth in dieser Tradition und welchen Standpunkt nimmt er zwischen den beiden genannten Möglichkeiten ein?

Ich stelle einen programmatischen Satz Barths aus § 34,1 an den Anfang, der sowohl die Israel gegebenen Verheißungen in der alttestamentlich-jüdischen als auch die in der Hoffnung auf ihren auferstandenen Herrn durch die Kirche ergriffenen Verheißungen in der neutestamentlichen Perspektive thematisiert: «Die Kirche lebt von den Israel gegebenen ‹Verheißungen›, laut derer das Volk gesegnet und zahlreich sein (Volks- und Mehrungsverheißung), das Land besitzen (Landverheißung), unter seinem König reich, mächtig und glücklich sein (messianische Verheißungen), schließlich alle Völker auf dem Zion vereinigt sehen soll (Völkerwallfahrt zum Zion). Die Verheißungen, die die Kirche ergreift, indem sie ihre Hoffnung auf ihren auferstandenen Herrn setzen darf, lauten auf die Gabe des Heiligen Geistes, auf die Vergebung der Sünden, auf die Besiegung der Mächte und Gewalten des Satans, auf die Auferweckung der Toten, auf ein ewiges Leben in Gottes Reich. Aber eben damit ergreift und begreift sie doch nur die gerade Israel gegebenen Verheißungen» (II/2,224).

Ist für Barth die Geschichte Jesu Christi als die Geschichte des Bundes, des Immanuel, die Erfüllung der alttestamentlichen Verheißungen, insofern das «Ich bin euer Gott – ihr seid mein Volk» als Mitte und Inhalt des Bundes in Jesus Christus Wirklichkeit ist, insofern der Schem Jahwe, das onoma kyriou in ihm präsent ist, so ist sie auch die Interpretation und das Kriterium für die Bestätigung, Bekräftigung oder Krise der alttestamentlichen Verheißungen. Die Erfüllung der Verheißungen in Christus bedeutet deshalb für Barth nicht die Eliminierung der Konkretheit der alttestamentlichen Verheißungen, – das Was der Verheißung wird nicht in die Person des Messias verschlungen –, aber ihre Inhaltlichkeit wird nun von der Mitte des Bundes in Jesus Christus her erkannt. Das bedeutet für Barth die Ersetzung der Landverheißung durch die in Kreuz und Auferweckung und in dem erfüllten Bund konstituierten und von Jesus Christus her zu erwartenden Gaben und Hoffnungen: der Gabe des Pneuma, der Sündenvergebung, der Besiegung der Mächte und der Erwartung der Auferweckung der Toten, des messianischen Reiches und der neuen Schöpfung. Der Bund Gottes mit Israel in Jesus Christus und die Versöhnung Israels und der Welt sind die Mitte, die Gaben sind die in Kreuz und Auferweckung begründeten Elemente der Zueignung und Hoffnung. Mit anderen Worten: Die Erfüllung des Bundes mit Israel in Jesus Christus ist für Barth nicht die Bestätigung der Landverheißung für Israel. «Es gibt, nachdem der Messias Israels erschienen und von Israel verworfen und als der Heiland der Glaubenden (Ekklesia) aus Juden und Heiden offenbart ist, keinen heiligen Berg, keine heilige Stadt und kein heiliges Land mehr, die man auf der Landkarte als solche bezeichnen könnte» (KD II, 1, 542).

Ähnlich wie Barth äußert sich auch W. Zimmerli in seinem Aufsatz:

«Der Staat Israel – Erfüllung biblischer Verheißungen?», der von einem traditionsgeschichtlichen Vergleich zwischen Genesis 12 (J) und Genesis 17 (P) her zu dem Ergebnis kommt, daß, so sehr der priesterliche Erzähler die Volksverheißung und Landverheißung nennt, als neues Element hier die Bundesverheißung auftaucht: Ich will euer Gott sein. Und Zimmerli folgert: «Es ist ganz deutlich, daß der priesterliche Erzähler mit dieser Zufügung auf die eigentliche Mitte des Bundesgeschehens hindeuten will. Nicht um das Ding Land und nicht um die Masse Volk geht es Gott in seinen Verheißungen letzten Endes, sondern darum, daß dieses Volk in diesem Land Gottes Volk sei, als sein Volk ihm zugehöre und aus seiner Hand lebe» (69). Diese Zuordnung von Bund, Land- und Volksverheißung, also diese Unterordnung der Land- und Volksverheißung unter den Bund findet Zimmerli auch in der vor- und nachexilischen Prophetie bestätigt: «In all diesen Äußerungen (der Prophetie) ist jenes dritte als jüngstes Element der Väterverheißung (nämlich die Bundeszusage an das Volk) allem anderen vorangetreten: Gott meint nicht eine politische Restitution, er meint nicht nur ein Volk von landbesitzenden Abrahamsnachkommen – er meint in diesem seinem freien Tun sein Volk, das er nun aus freier Güte neu zu seinem Volk macht» (71f.). Ist nun Jesus Christus «die Fülle der Verheißung» (73f.), so ist zugleich das «Land ... in ihm ganz zurückgetreten und (hat) jenes dritte Element der Abrahamsverheißung allen Glanz auf sich gezogen: Gott unser Gott – wir sein Volk» (74). Im Hinblick auf Römer 9–11 und die dort von Paulus festgehaltene Volksverheißung sagt Zimmerli: «Daran allerdings hält Paulus fest, daß Gott dieses Ziel auch noch mit seinem Volk Israel, das sich an seine alttestamentlichen Verheißungen klammert, erreichen will» (ebd.). So kommt es nach Zimmerli in der Erfüllung in Jesus Christus zur Krisis der Landverheißung und Bestätigung der Volksverheißung als Implikat der Bundesverheißung und Bundeserfüllung in der Geschichte Jesu Christi (Röm. 11,25). Christus ist als die Erfüllung des Bundes Gottes mit Israel die «Krise der Landverheißung über Israel» und zugleich die Bestätigung der Volksverheißung für Israel. Indem Zimmerli die vom Zionismus bejahte und erkämpfte Einheit von Israel als Volk und Israel als Land in alttestamentlicher Perspektive versteht und würdigt, kommt er in der neutestamentlichen Perspektive zu folgendem Urteil, das Barths Aussagen entspricht: «Es müßte schon ein ganz neues und andersartiges Geschehen der Vergewisserung der Nähe Gottes eintreten und Glauben finden, um den Glauben von dieser Bindung (an das Land Israel) zu lösen (!). Die neutestamentliche Tochter des alten Israel hat dann behauptet, daß dies noch gewaltigere Geschehen im Christus Israels sich ereignet habe» (Weltlichkeit 83).

Kann die von dem Systematiker Barth und dem Alttestamentler Zimmerli in der neutestamentlichen Perspektive gegebene Antwort von der Lösung der Bindung an das Land genügen? Kann man sagen, daß Christus als die Erfüllung des Bundes Gottes mit Israel die Krise der Landverheißung Israels und lediglich die Bestätigung der Volksverheißung für Israel ist? Wie läßt sich diese Differenzierung christologisch begründen und wie läßt sie sich abgrenzen von einer Tradition, die H. Gollwitzer im Auge hat, wenn er sagt: «Immer schon haben die Christen den Juden vorschreiben wollen, wie Juden sich zu verstehen haben. Das ist auch eine Form von Antijudaismus, und die muß aufhören. Der Zusammenhang von Volk und Land gehört zur Essenz des Judentums und wird nur von einer geringen jüdischen Minderheit aufgehoben oder spiritualisiert. Da dieser Zusammenhang biblisch begründet ist, muß er christlichen Theologen zu denken geben. Ohne Zweifel hat hier der Zionismus die Bibel mehr auf seiner Seite als die übliche christliche Spiritualisierung der Landverheißung» (JK 1976, 8/9, 431). Wie lassen sich die Aussagen Barths und Zimmerlis noch von der üblichen christlichen Spiritualisierung der Landverheißung Israels abgrenzen?

c) Modelle eines theologischen Verständnisses der Landesverheißung Israels

Kommt man – wie es nicht für jüdisches Selbstverständnis, aber für christliches Verständnis unverzichtbar ist – von der Geschichte des in Jesus Christus erfüllten Bundes als dem Inhalt und Kriterium auch der Landverheißung Israels her, so müssen folgende, in der Richtung eines Modells der christologischen Implikation und eines Modells der theologischen Indifferenz liegende christliche Antworten vermieden werden. Es wird eine theologische Antwort auf die gestellte Frage vielmehr in der Richtung eines Modells der zeichenhaften Analogie gefunden werden müssen.

1. Das Modell der christologischen Implikation

Ich nenne als Beispiel für eine Antwort in der Richtung des Modells einer christologischen Implikation des Landes in dem in Jesus Christus erfüllten Bund die wichtige Handreichung der Nederlandse Hervormde Kerk «Israel: Volk, Land und Staat» (FR 1971/XXIII, 19–27), in der zunächst von christologischen Voraussetzungen her gesagt wird, «daß der Bruch, von dem im Neuen Testament die Rede ist, sich bei dem jüdischen Volk im Rahmen der Kontinuität von Gottes besonderem Handeln mit Israel abspielt» (22). Aus dieser Verhältnisbestimmung von Krisis und Bruch im Rahmen und Raum verheißungsgeschichtlicher Kontinuität wird dann gefolgert: «Wenn die Erwählung des Volkes und die damit verbundenen Verheißungen in Kraft bleiben, folgt daraus, daß auch das Band zwischen Volk und Land von Gottes wegen aufrechterhalten bleibt» (22).

Die Frage ist angesichts dieses wichtigen Dokumentes unausweichlich: Welche Rolle spielt hier noch die durch das Kreuz markierte Krisis und der Bruch, den Barth und Zimmerli offensichtlich im Auge gehabt haben und den sie theologisch nicht einfach im Rahmen und innerhalb verheißungsgeschichtlicher Kontinuität denken zu können meinten?

Die Frage stellt sich ebenfalls angesichts der folgenden Aussagen Fr. W. Marquardts, der sich wie kein anderer um eine Theologie des Judentums verdient gemacht hat («Die Entdeckung des Judentums für die christliche Theologie. Israel im Denken Karl Barths» 1967) und dem diese Abhandlung wichtige Impulse verdankt. Spricht doch Marquardt explizit von einer notwendigen Implikation der Landverheißung Israels in dem in Jesus Christus erfüllten Bund: «Es ist wohl wahr, daß das Land nun nicht mehr selbst höchstes Gut ist, wie es das für Israel war und blieb. Jesus verdrängte es aus dieser Stelle und wurde in seiner Person zum ‹Existenzort des Heils›» (Die Juden und ihr Land 1975, 102). So oder ähnlich könnten auch Barth und Zimmerli formuliert haben.

Marquardt fährt dann zu Recht fort: «Aber das brachte das Land nicht zum Verschwinden und machte es nicht bedeutungslos. Das Land blieb in Jesus Christus mitgesetzt. Niemand sollte sich einen land- und bodenlosen, rein geistigen Christus vorgaukeln dürfen» (ebd.). Das Land wird von Marquardt als notwendiges und konkretes Implikat des in Jesus Christus als dem Messias Israels erfüllten Bundes verstanden.

Die politischen Konsequenzen dieser christologischen Implikation zeigen sich aber, wenn Marquardt auf das israelisch-palästinensische Verhältnis zu sprechen kommt: Wird das paulinische «zuerst dem Juden, dann dem Menschen aus der Völkerwelt» (Röm. 1,16) aufgrund der Erfüllung des Bundes im Christus Jesus nicht nur auf die Bestätigung der Volksverheißung, sondern darüber hinaus unmittelbar auch auf die Bestätigung der Landverheißung bezogen, so muß man, wie es Marquardt dann auch tut, neben eine Theologie Israels auch eine Theologie Ismaels, die die Erfahrungen des arabischen Weichens mitreflektiert, stellen, – «eine Theologie Ismaels, deren tiefster Zeugniswert im Weichen vor Israel bestünde. Es müßte das wohl eine Theologie des Gerichts, es dürfte das aber ebenso eine Theologie der Ehre des Weichenden sein» (140).

Wie läßt sich eine solche Aussage von einer ideologischen Verbrämung politischer Realitäten, die Marquardt doch nicht will, noch unterscheiden? Wird nun Ismael, nachdem es durch Jahrhunderte hindurch die Juden sein sollten, zum Repräsentanten und Zeugen des Gerichts? Darf, im Sinne einer gerade von Marquardt geforderten konkreten Christologie, wenn der Menschensohn Jesus von Nazareth nach Mt. 25,31ff. der Repräsentant Israels und der Entrechteten ist, post Christum natum noch so geredet werden?

2. Das Modell der theologischen Indifferenz

Das Modell der theologischen Indifferenz spricht theologisch einlinig und undifferenziert von der Krise sowohl der Volks- als auch der Landverheißung Israels. Es ist so alt wie zugleich so wenig ausrottbar, daß es keiner besonderen Beispiele bedarf. Der pseudo-theologischen Argumentation, Christus der Gekreuzigte sei die Krisis und darum auch das Ende der Volks- und Landverheißung, tritt dabei häufig eine angeblich politisch-rationale Argumentation zur Seite, die sich auf eine zeitgeschichtlich-politische Argumentation beschränken und – fern von aller theologischen Reflexion – auf die politische Rationalität des Landes und der Staatlichkeit Israels abheben möchte.

Dieses Modell ist aber theologisch abstrakt, da es die Krisis des Kreuzes absolut setzt und sie vom gekreuzigten Messias Israels und der Verheißungsgeschichte Israels löst. Die theologische Abstraktheit dieses Modells der theologischen Indifferenz zeigt sich am positiven Gegenbeispiel der Erklärung des Bundes der Kirchen in der DDR vom 27. 11. 1957, die nicht nur insofern glaubwürdig ist, weil sie von einer Bejahung des Antirassismusprogramms des Ökumenischen Rates der Kirchen herkommt, sondern die zugleich auch mutig ist, weil sie im Raum des politisch-ideologischen Antizionismus der Ostblockstaaten erfolgt: «Die Verurteilung des Zionismus als Rassismus macht uns tief betroffen. Wir haben nicht zu vergessen: Als Christen sind wir nach dem Zeugnis der Bibel in die Geschichte Gottes mit dem Volk Israel gestellt, – als Deutsche haben wir in der Vergangenheit das Existenzrecht des jüdischen Volkes in einem erschreckenden Maße verneint».

Das Modell der theologischen Indifferenz gegenüber der Landverheißung Israels ist aber nicht nur theologisch abstrakt, sondern auch geschichtlich und politisch irrational, insofern es die schlichte Tatsache verkennt, daß die Heimkehr in das Land und der Staat Israel u. a. auch eine historische Konsequenz der Leidens- und Vernichtungsgeschichte des Judentums in Europa sind, wobei diese wiederum nicht nur zeitgeschichtlich-politische, sondern infolge des Antijudaismus auch theologische Voraussetzungen hat, wenn die Empirie des bestehenden Landes und Staates Israel nicht falsch verstanden werden will. Ich möchte nicht unerwähnt lassen, daß die Vertreter des Modells der theologischen Indifferenz und Verfechter der sog. politischen Rationalität des Landes und Staates Israel oft gerade zugleich Vertreter eines weltlosen, ungegenständlichen und abstrakten Christentums Bultmannscher Provenienz sind.

Daß das Modell der theologischen Indifferenz gegenüber dem Land Israels entgegen der Behauptung seiner Verfechter auch historisch und politisch irrational ist, hat Fr. Dürrenmatt in seinen Essays über Israel deutlich herausgearbeitet: «So paradox es ist, Hitler ist die Berechtigung, daß es den Staat Israel gibt, wenn auch nur eine Berechtigung» (Zusammenhänge 1976, 60). «Die Vernichtungslager, wo jüdisches Volk unterging, ohne sich zu wehren, und der Aufstand des Warschauer Gettos, wo jüdisches Volk vernichtet wurde, indem es sich wehrte, diese zwei fürchterlichen Möglichkeiten, die einem Volk am Ende bleiben, forderten, damit sie sich nicht wiederholen, den jüdischen Staat» (61).

Fr. Dürrenmatt sagt bewußt, daß Hitler nur eine Berechtigung für das Land und den Staat Israel ist. Die andere Berechtigung beschreibt er so: «Ohne Israel wären die Palästinenser Jordanier und Ägypter geblieben, sie sind nur dank Israel Palästinenser» (165). Die Existenz des Landes und Staates Israel» bekommt damit den politischen Sinn, den Palästinensern zu ihrem Recht zu verhelfen: zu ihrem Staat. So klein dieser Landstrich ist, den wir Palästina nennen, ein Nichts auf dem Globus, er hat Platz für zwei Staaten, wie er Platz für viele Kulturen hat. Das setzt voraus, daß die Palästinenser den jüdischen Staat anerkennen und die Juden den palästinensischen» (163). Und angesichts der Tatsache, daß auch die Palästinenser nur ein Kalkül im machtpolitischen Kräftespiel der Weltmächte sind, schreibt Dürrenmatt: «Dann kann es sein, daß der jüdische Staat den nicht vergessen darf, den alle vergessen haben: seinen palästinensischen Bruder» (168).

Gegenüber den verschiedenen rechts und links vertretenen Varianten dieses Modells der theologischen Indifferenz und der politisch-geschichtlichen Irrationalität hat H. Gollwitzer zur Selbstkritik aufgerufen: «Angesichts der bösen Erfahrungen, die die Juden über ein Jahrtausend hindurch, gipfelnd in der nazistischen Massenvernichtung, unter den christianisierten Völkern gemacht haben, hat jeder Angehörige dieser Völker, erst recht jeder Christ und Theologe, sich strengstens zu prüfen, ob er bei seiner Beurteilung heutigen jüdischen Verhaltens diesen Erfahrungen Rechnung trägt. Wenn nicht, so sind seine negativen Urteile Fortsetzung der alten antisemitischen Tradition. Deshalb können die Angehörigen der jüngeren Generation in Deutschland nicht meinen, sie seien, weil an den Greueln der jüngsten Vergangenheit nicht beteiligt und weil sich freifühlend von antijüdischen Affekten, berechtigt, bei ihren Stellungnahmen zum Nahostkonflikt von diesen jüdischen Erfahrungen zu abstrahieren. Von diesen Erfahrungen her ist der Antizionismus bei Teilen der jungen deutschen Linken objektiv eine Fortsetzung des früheren Antisemitismus» (JK 1976, 8/9, 429).

3. Das Modell der zeichenhaften Analogie

In Präzisierung des Modells der christologischen Implikation, in Aufnahme seines unverzichtbaren Wahrheitsgehaltes einerseits und in Abgrenzung gegenüber dem Modell der theologischen Indifferenz wird die theologische Antwort auf die Frage nach dem Stellenwert der Landverheißung Israels von der in Jesus Christus geschehenen Erfüllung des Bundes Gottes mit Israel her in der Richtung eines Modells der zeichenhaften Entsprechung und Analogie zu suchen sein.

Barth selbst ist – worauf Fr. W. Marquardt mit Recht aufmerksam macht (Die Entdeckung des Judentums 354) – nicht bei seiner bereits zitierten christologischen-exklusiven Behauptung aus dem Jahre 1940 («nachdem der Messias Israels erschienen ist, gibt es ... kein heiliges

Land mehr») stehengeblieben, sondern er hat angesichts der Gründung des Staates Israel im Jahre 1948 gefragt: «Sind vielleicht, da diese jüdische Repräsentanz (!) da ist, doch auch jene verlorenen zehn Stämme Israels, ist also ganz Israel unerkannt immer noch da? Ist vielleicht der nun so überraschend aus der Sprache der Bibel ... plötzlich wieder in die Zeitung übergegangene Name jenes neuen Staates keine Anmaßung, sondern der Ausdruck eines Sachverhaltes?» (III 3,241).

Wichtig scheint mir die Frage Barths nicht nur deshalb zu sein, weil sie ein gegenüber KD II, 2 verändertes Verständnis von pas israel, «ganz Israel» voraussetzt, sondern besonders deshalb, weil sie in die Richtung des hier diskutierten Modells der zeichenhaften Entsprechung verweist. Fr. W. Marquardt hat die Frage Barths richtig interpretiert: «Kann ... jenes Ereignis von 1948 etwa exegetische Relevanz für die Auslegung des pas israel von Röm. 11,26 gewinnen?» (355). Und dahin tendiert in der Tat die Besonderheit des Modells der zeichenhaften und analogen Entsprechung. Denn in diesem Modell wird ja weder die theologische Notwendigkeit des Landes – wie es von der alttestamentlichen und jüdischen Perspektive in der Tat unausweichlich ist – christologisch deduziert und impliziert, noch wird hier – als scheinbare logische Konsequenz aus der Ablehnung der christologischen Implikation – im Sinne des Modells der theologischen Indifferenz von der nur zeitgeschichtlich-politischen Rationalität und Eigengesetzlichkeit des Landes und Staates Israel gesprochen. Sondern in diesem Modell der zeichenhaften Analogie vollzieht sich eine von der Erfüllung des Bundes Gottes mit Israel her erfolgende christologisch-theologische Reflexion und Besinnung auf die faktisch erfolgte Landnahme und Staatlichkeit Israels, die als Zeichen der Treue Jahwes zu seinem Volk, als Zeichen der Gültigkeit der Verheißungen Gottes über dem Volk Israel und als Zeichen der ausstehenden Entsprechungen und der Noch-nicht-Entsprechungen zu dem im Messias Israels erfüllten Bund zu verstehen und zu würdigen sind.

Es muß also in der Tat – wie Marquardt will und fordert und wie Barth es nach 1948 in seinen Verlautbarungen zu erkennen gibt – auch von dem geschichtlichen Faktum der neueren Landnahme und Errichtung des Staates Israels her auf die Bibel hin gefragt werden, insofern diese geschichtlichen Fakten nicht theologisch postuliert und erst recht nicht christologisch deduziert werden können. Es können dann aber diese Fakten und also auch das Faktum der erneuten Landnahme Israels als Zeichen der Treue Gottes zu seinem Volk verstanden werden.

In diesem Sinne haben nicht nur M. Buber und W. Zimmerli in alttestamentlicher Perspektive von dem Land als dem Zeichen der Erwählung des Volkes und von dem Zeichen der Zugehörigkeit Israels zu Jahwe gesprochen. In diesem Sinne haben auch Neutestamentler und Systematiker gerade von der neutestamentlichen Perspektive her sprechen zu müssen gemeint; So formuliert G. Harder: «Der Staat Israel ist ein

Zeichen der Treue Gottes zu dem Volk Israel, dessen Existenz durch den Staat erneut erwiesen wird. Er ist Zeichen des Zusammenhanges der Juden mit dem Volk Israel ... Der Staat Israel, gerade in seiner Vorläufigkeit, erinnert die Christenheit daran, daß auch ihr Weg noch nicht abgeschlossen ist. Er bewahrt die Christenheit vor falscher Spiritualisierung biblischer Aussagen und erinnert sie daran, daß die Lokalisierung göttlicher Verheißungen in Palästina und Jerusalem noch ihrer vollen Sinnerschließung harrt» (in: FS für G. Harder «Treue zur Thora» 1977, 76f.).

P. von der Osten-Sacken zieht aus dem von G. Harder reklamierten Zeichencharakter des Landes und der Staatlichkeit Israels folgenden – in der Richtung des von uns hier vertretenen Modells der zeichenhaften Entsprechung und Analogie liegenden – wichtigen Schluß: «Wenn Harder ... den Begriff der erfüllten oder partiell erfüllten Verheißung für dieses Faktum meidet und von Israel als Zeichen der Treue Gottes spricht», so lautet die daraus folgende «theologische Zumutung», «ein Phänomen mit einer an Jesus Christus gebundenen Verheißung theologisch in Beziehung zu setzen, das von der reinen Beobachtung her (vgl. unser Indifferenz-Modell) nichts mit der Verkündigung Jesu Christi zu tun zu haben scheint und das auch von den Betroffenen, den ins Land zurückgekehrten Juden, nicht in solchem Zusammenhang gesehen wird» (ebd. 78). Indem von der Osten-Sacken die gegenwärtige Faktizität der erneuten Landnahme und Staatlichkeit Israels als ein Phänomen mit der an Jesus Christus gebundenen und in ihm – wie Paulus Röm. 11,25f. ausführt – bestätigten Verheißung in Beziehung setzt bzw. erst in dieser In-Beziehung-Setzung als ein «Phänomen», Licht und indirektes Zeichen verstehen kann, spricht er von der erneuten Landnahme Israels als «der Bewahrung im Zeichen der Verheißung» (79).

In dem Sinn des von uns skizzierten Modells der zeichenhaften Analogie, demzufolge das Analogatum nicht (im Sinne des Implikations-Modells) theologisch postuliert oder christologisch deduziert werden kann, demzufolge aber die geschichtliche Faktizität auf die in Jesus Christus erfüllte und bestätigte Verheißung Israels bezogen werden muß, um als Analogatum, Licht, «Phänomen» oder Zeichen überhaupt erkannt zu werden, und nicht in die angebliche politische und geschichtliche Rationalität (im Sinne des Indifferenz-Modells) abgeschoben werden kann, hat denn auch K. Barth 1952 im Hinblick auf die Geschichte des Zionismus und die Errichtung des Staates Israel von Israel als «dem Volk der Hoffnung» gesprochen. Im Sinne des Modells der zeichenhaften Analogie hat J. Moltmann Israels Landnahme und den «Staat ein Zeichen für das Ende der Zerstreuung und den Anfang der Heimkehr» in eschatologischer Perspektive genannt (Kirche 170).

Die Relevanz des von uns reklamierten Verständnisses der Geschichte Israels und des Judentums als eines indirekt bezeugenden besonderen Zeugen im Unterschied zu den indirekt verweisenden allgemeinen Zeichen mag in dieser Frage der theologischen Relevanz der Landverheißung Israels ihre Konkretheit und Fruchtbarkeit erneut gezeigt haben. Denn «Jesu Tod läßt sich nicht von seiner Auferstehung abstrahieren – eben darauf weist uns auch die gegenwärtige Geschichte Israels hin» (Fr. W. Marquardt, Die Entdeckung des Judentums 356).

Von dem bisher aufgewiesenen Weg der Israellehre Barths her ist es deshalb nicht zufällig, daß es in dem Ergänzungsvorschlag des Barth-Seminars zur Vollversammlung in Evanston 1952 heißt: «Das Problem der Einheit der Kirche mit Israel ist das erste Problem der ökumenischen Einigung».

Barth hat, als er 1966 in Rom war, die Bedeutung der jüdisch-christlichen Beziehungen für die Einheit der Christen erneut betont: «Es gibt heute viele gute Beziehungen zwischen der römisch-katholischen Kirche und vielen protestantischen Kirchen ... Aber wir sollen nicht vergessen, daß es schließlich nur eine tatsächlich große ökumenische Frage gibt: unsere Beziehungen zum Judentum» (FR 1976/XXVIII 27).